D1249872

365 ACTIVITÉS AVEC VOTRE ENFANT

CÉLINE SÉGUIN

365 ACTIVITÉS AVEC VOTRE ENFANT

Les Éditions
LOGIQUES

LOGIQUES est une maison d'édition reconnue par les organismes d'État responsables de la culture et des communications.

Nous reconnaissons l'aide financière du gouvernement du Canada par l'entremise du Programme d'aide au développement de l'industrie de l'édition (PADIÉ) pour nos activités d'édition.

Révision linguistique : Corinne de Vailly, Monique Thouin
Conception graphique et mise en pages : Andréa Joseph [PAGEXPRESS]
Graphisme de la couverture : Christian Campana

Distribution au Canada :
Québec-Livres, 2185, autoroute des Laurentides, Laval (Québec) H7S 1Z6
Téléphone : (450) 687-1210 • Télécopieur : (450) 687-1331

Distribution en France :
Casteilla/Chiron, 10, rue Léon-Foucault, 78184 Saint-Quentin-en-Yvelynes
Téléphone : (33) 1 30 14 19 30 • Télécopieur : (33) 1 34 60 31 32

Distribution en Belgique :
Diffusion Vander, avenue des Volontaires, 321, B-1150 Bruxelles
Téléphone : (32-2) 761-1216 • Télécopieur : (32-2) 761-1213

Distribution en Suisse :
Diffusion Transat s.a., route des Jeunes, 4 ter, C.P. 1210, 1211 Genève 26
Téléphone : (022) 342-7740 • Télécopieur : (022) 343-4646

Les Éditions LOGIQUES
7, chemin Bates, Outremont (Québec) H2V 1A6
Téléphone : (514) 270-0208 • Télécopieur : (514) 270-3515
Site Web : http ://www.logique.com

365 activités avec votre enfant

Dépôt légal : 2e trimestre 2000
Bibliothèque nationale du Québec
Bibliothèque nationale du Canada

ISBN 2-89381-692-4
LX-802

Table des matières

MARS (suite)

AVRIL

MAI

MAI (suite)

JUIN

JUIN (suite)

JUILLET

AOÛT

AOÛT (suite)

SEPTEMBRE

SEPTEMBRE (suite)

OCTOBRE

NOVEMBRE

NOVEMBRE (suite)

DÉCEMBRE

À Jean-Simon et à Fanny

Remerciements

Je tiens tout d'abord à remercier mes deux jeunes enfants, Jean-Simon, neuf ans, qui a été pour moi un fidèle collaborateur et un conseiller technique hors pair, ainsi que Fanny, deux ans, qui m'a inspirée tout au long de la rédaction de cet ouvrage. Je désire aussi profiter de l'occasion qui m'est donnée pour rendre hommage à mon père, un homme qui a toujours pris grand plaisir à s'amuser avec ses enfants, à partager leurs jeux, leurs rires et leurs découvertes. Les merveilleux souvenirs que j'en garde ont d'ailleurs alimenté plusieurs des activités qui composent ce livre. J'adresse également mes plus sincères remerciements à Claude Gauvreau, un ami précieux, pour son intérêt, ses observations, ses critiques toujours constructives et son soutien indéfectible. Enfin, je remercie ma sœur, Ginette Dubé, pour les efforts fournis au cours de nos sessions de remue-méninges téléphoniques, et Karole Lauzier, mon éditrice et amie, pour m'avoir permis d'écrire ce livre.

CÉLINE SÉGUIN

Introduction

À l'instar de plusieurs parents, vous déplorez le fait que votre enfant passe trop de temps devant le téléviseur? Vous souhaiteriez qu'il soit moins souvent branché à ses jeux électroniques? Par ailleurs, vous avez l'impression que la course métro-boulot-dodo ne vous laisse pas suffisamment de temps ou d'énergie pour vous adonner, chaque jour, à des activités nouvelles et amusantes avec votre enfant? Vous croyez être confronté à l'impasse? Détrompez-vous! Vous trouverez, dans ce livre, 365 idées de jeux et d'activités, faciles à organiser et à préparer, qui vous permettront de distraire et de stimuler votre enfant – et aussi parfois ses copains – sans pour autant exiger de vous un effort surhumain ni demander une multitude de matériaux ou d'accessoires sophistiqués!

Des expériences scientifiques aux créations artistiques en passant par des activités physiques, des jeux de table et des trouvailles de toutes sortes, ce livre vous offrira une mine d'idées pour amuser intelligemment votre enfant. Une activité est ainsi prévue pour chacun des jours de l'année, les changements de saison et les principales fêtes thématiques étant pris en compte. Vous pourrez y puiser des suggestions d'activités de plein air et de jeux d'intérieur, à pratiquer à deux ou à plusieurs! Un petit conseil toutefois, commencez déjà à prendre l'habitude de conserver les articles suivants car ils vous seront particulièrement utiles pour les activités de bricolage: rouleaux d'essuie-tout ou de papier hygiénique vides, contenants de plastique (yogourt, bouteille, etc.), revues, magazines et catalogues, cartons de lait, brins de laine, ficelle, boîtes de carton, boutons, vieux vêtements et accessoires démodés. Bon! Il ne reste plus qu'à vous souhaiter, à votre enfant et à vous-même, bien des heures de plaisir!

Table des icônes

Activités qui se jouent:

À deux

À plusieurs

Activités qui se font:

À l'intérieur

À l'extérieur

Quel genre d'activité?

Activité physique

Activité artistique

Activité culinaire

Activité scientifique

Activité récréative

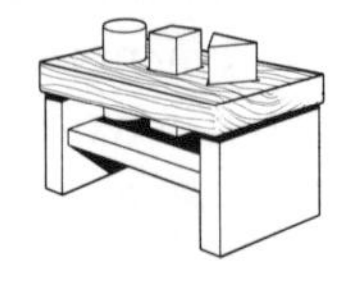

Jeu de table

Activité éducative

Activité aquatique

1er janvier

Un calendrier

C'est la nouvelle année! Ce matin, faites appel à la créativité de votre enfant pour fabriquer un superbe calendrier aux motifs multicolores! Pour réaliser ce projet, vous aurez besoin des articles suivants:

- *Une douzaine de feuilles de papier cartonné* de différentes couleurs: chaque feuille représentera un mois de l'année;
- *Des crayons de bois ou des marqueurs:* pour dessiner, dans la moitié supérieure de la feuille, des scènes appropriées aux différentes saisons de l'année et/ou aux événements marquants du mois (cœurs pour la Saint-Valentin, œufs ou lapins pour la fête de Pâques, citrouilles et sorcières pour l'Halloween, sapin de Noël, etc.);
- *Un gros marqueur noir:* pour créer, dans la partie inférieure de chaque feuille, un tableau comportant autant de cases qu'il y a de jours durant le mois représenté. N'oubliez pas d'indiquer les jours de la semaine au-dessus de la première rangée du tableau (la première lettre suffit) et prenez soin de numéroter chaque case comme il se doit.

Une fois que votre enfant aura complété ses 12 feuilles, percez-les de 3 trous dans la partie supérieure. Enfilez-y un ruban de soie et accrochez le tout au mur à un endroit stratégique de la maison!

2 janvier

À la trace

Ah que la neige a neigé! Il faut vite en profiter! Habillez-vous chaudement et proposez à votre enfant de devenir un fin limier en identifiant la source des différentes empreintes qu'il trouvera dans la neige. Il pourra ainsi suivre un chat de gouttière à la trace, découvrir les cabrioles faites ce matin par le chien du voisin, constater que des moineaux se sont posés sur le balcon ou encore, se rendre compte que le camelot chausse du 39! À l'aide de divers objets, vous pouvez aussi vous amuser à laisser d'étranges empreintes dans la neige qui susciteront la curiosité des prochains passants, voire les laisseront tout à fait perplexes!

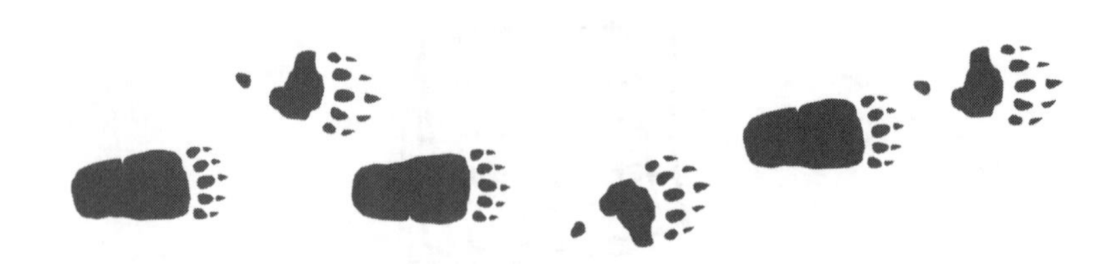

3 janvier

Tamponnage

Vous êtes en pleine préparation du repas du soir et votre enfant trouve le temps long? Joignez l'utile à l'agréable en tranchant en deux les divers fruits (pomme ou poire) et légumes (champignons, poivrons, pommes de terre) que vous avez sous la main. Offrez ensuite à votre enfant les moitiés ainsi obtenues et invitez-le à y appliquer (sur la face intérieure) de la gouache de différentes couleurs. Il peut soit utiliser un pinceau, soit tremper directement la surface plane du fruit ou du légume dans la peinture, dont une petite quantité aura été versée au préalable dans une assiette d'aluminium. En se servant des fruits et des légumes comme autant de tampons, il pourra réaliser de magnifiques compositions sur une toile cartonnée, décorer une nappe en papier, créer une superbe banderole ou encore une affichette des plus originales. N'oubliez pas d'intégrer les moitiés inutilisées à votre repas, vous aurez ainsi fait d'une pierre deux coups: votre enfant s'amusera et votre repas sera hautement vitaminé!

4 janvier

Les grands explorateurs

Vous admirez par la fenêtre l'épaisse couche de neige qui recouvre le sol et... ô miracle! la journée ne s'annonce ni trop froide ni trop venteuse. C'est le temps idéal pour jouer aux grands explorateurs des régions polaires. Munissez-vous, ainsi que votre enfant, d'un sac à dos dans lequel vous prendrez soin de mettre quelques accessoires de rechange (tuques, mitaines, etc.), un thermos rempli de chocolat chaud et de petites collations (noix et fruits secs, muffins, etc.). Vous êtes alors fin prêts pour l'aventure: escaladez des montagnes, franchissez des glaciers, pêchez sur la glace, construisez un igloo pour vous protéger des ours polaires... Il n'y a pas de frein à l'imagination! Enfin, lorsque les émotions fortes ou les efforts fournis auront contribué à affamer les membres de l'expédition, ceux-ci pourront pique-niquer dans la neige en se pourléchant les babines!

5 janvier

Pour être à la page

Pour permettre aux parents et aux amis d'être toujours à la page, votre enfant pourrait leur offrir de jolis signets personnalisés! Pour réaliser ce projet, il suffit de découper dans du carton fort (de préférence blanc) des bandes d'environ 4 cm x 20 cm. Invitez ensuite votre enfant à orner les deux côtés de ces bandes en y dessinant des motifs géométriques, un paysage, des fleurs, un arc-en-ciel, bref, tout ce qui lui plaira! Une fois les dessins terminés, demandez-lui d'initialer le bas du signet. Puis, percez un trou dans la partie supérieure et passez-y deux ou trois brins de laine de différentes couleurs, tenus en place par un nœud. Ce cadeau aisé à réaliser sera hautement apprécié par tous les lecteurs chevronnés de son entourage!

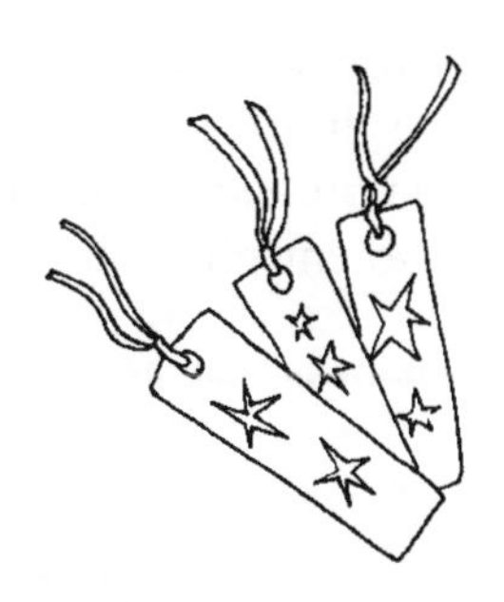

6 janvier

La fête des Rois

Il est de tradition, à la fête des Rois, de dissimuler une fève dans un gâteau: la personne qui a l'heureuse surprise de la trouver dans son morceau devient alors le roi (ou la reine) de la journée. On peut ajouter un peu de piquant à la chose en décrétant que le haut personnage aura le droit d'être servi par sa valetaille durant une heure ou deux! Et pour varier, pourquoi ne pas servir de délicieux muffins au son et aux raisins en lieu et place d'un gâteau à faible valeur nutritive. Voici une recette très simple, adaptée à la cuisson au micro-ondes, que vous pourrez réaliser en un rien de temps avec l'aide de votre enfant.

Recette: Dans un bol, battez 1 œuf et 250 ml (1 tasse) de lait de beurre. Incorporez, en remuant bien: 300 ml (1 1/4 tasse) de farine, 175 ml (3/4 tasse) de cassonade dorée, 5 ml (1 c. à soupe) de bicarbonate de soude, 1 ml (1/4 c. à soupe) de sel, 250 ml (1 tasse) de céréales de son aux raisins, 60 ml (1/4 tasse) d'huile végétale et, au choix, 60 ml (1/4 tasse) de noix hachées (assurez-vous qu'aucun des invités, petit ou grand, n'y est allergique). Répartissez la pâte dans 18 coupes à dessert doublées de moules de papier ou dans un moule à muffins adapté à la cuisson au micro-ondes. Attention: remplissez les moules à moitié seulement sinon gare aux dégâts! Faites cuire 6 muffins à la fois, à la puissance maximale, durant 2-3 minutes ou jusqu'à ce que les muffins ne soient plus pâteux.

7 janvier

Miroir, joli miroir

Proposez à votre enfant d'imaginer qu'il est le miroir dans lequel vous pouvez vous admirer à loisir des pieds à la tête. Placez-vous l'un en face de l'autre, puis demandez-lui d'imiter chacun de vos mouvements le plus exactement possible. Bougez la tête de gauche à droite, levez un pied, tendez la main, grattez-vous l'oreille, faites semblant de tousser ou de vous maquiller... Tout est permis! Ce jeu développera à coup sûr son sens de l'observation, sa concentration, ses réflexes, son équilibre et sa coordination psychomotrice. Inversez les rôles! Vous verrez qu'il n'est pas si facile d'être un miroir au reflet irréprochable!

8 janvier

T'as de bons yeux, tu sais!

Faites entrer votre enfant, et ses amis s'il y a lieu, dans l'une des pièces de la maison. Demandez aux participants de bien observer la pièce ainsi que tous les objets qui s'y trouvent (le type d'objets, leur emplacement...). Ensuite, faites-leur quitter la pièce, puis enlevez, déplacez ou ajoutez un objet quelconque (bibelot, lampe, chaise, petit tapis, corbeille à papier, etc.). Invitez-les à revenir dans la pièce mystérieuse et mettez-les au défi d'identifier ce qui a été modifié dans l'environnement. Le joueur qui réussit le premier à trouver la bonne réponse devient, à son tour, le meneur de jeu.

9 janvier

L'indésirable

Voici un jeu qui fera appel à l'esprit de déduction de votre enfant tout en lui permettant d'enrichir son vocabulaire et ses connaissances. Présentez-lui une liste de cinq ou six mots ayant tous un point en commun, sauf un. Par exemple: lynx, cougar, singe, lion, panthère, chat. Demandez ensuite à votre enfant d'identifier quel mot ne devrait pas figurer sur cette liste et pourquoi. Dans le cas soumis, il devrait répondre que le mot indésirable est «singe» car il s'agit du seul animal de la liste qui n'appartient pas à la famille des félins.

10 janvier

Œil de lynx

Tracez un cercle parfait sur une feuille de papier de couleur blanche à l'aide d'une assiette renversée et d'un crayon à mine. Puis, épinglez ou collez la feuille sur un mur dans l'une des pièces de la maison. Chaque joueur, muni d'un crayon d'une couleur différente (sauf rouge), se place au fond de la pièce. À tour de rôle, en se cachant un œil de la main, on avance, le bras tendu, en s'approchant du cercle, afin de tracer, avec le crayon, un petit X bien au centre de la cible. Une fois que tous les joueurs ont apposé leur marque, on décroche la cible et, à l'aide d'une règle ou d'un ruban à mesurer, on en identifie le point central en y traçant un petit point rouge. Le joueur dont le X se trouve le plus près du centre aura droit au titre d'«œil de lynx».

11 janvier

Abracadabra

Munissez-vous de quatre ou cinq petits gobelets ou bols de plastique opaques, ainsi que d'un objet qui pourra facilement y être dissimulé: un dé à coudre ou à jouer, un gros bouton, etc. Puis, tel un prestidigitateur, faites glisser les contenants — en position inversée — de manière à recouvrir chaque fois l'objet. Faites les mouvements rapidement et habilement, à l'aide des deux mains, en prenant soin d'intervertir la position des contenants. L'objectif consiste à multiplier les manœuvres (l'objet change de contenant et les contenants changent de place) afin d'étourdir l'adversaire, qui, une fois les tours de passe-passe effectués, devra deviner où se trouve l'objet. Si le contenant choisi par votre enfant est bel et bien celui qui recouvre le fameux objet, il devient «illusionniste» à son tour. Sinon, il devra tenter sa chance de nouveau en redoublant d'attention!

12 janvier

Un objet aux 1 001 usages

Voilà un jeu qui demande une bonne dose d'imagination, un sens de l'observation développé et un certain don pour l'improvisation. Prenez n'importe quel objet incassable, une assiette de carton ou une règle de plastique par exemple. À tour de rôle, un joueur prend l'objet et s'en sert pour en représenter un autre que son partenaire devra deviner. Ainsi, l'assiette pourrait devenir un volant de voiture, un miroir ou un disque! Une règle pourrait se transformer successivement en baguette de chef d'orchestre, en longue-vue, en batte de baseball ou en archet de violon! Les possibilités sont multiples… Alors, place à l'invention!

13 janvier

La plage hivernale

Vous avez rangé camion à benne, seau, pelles et moules de toutes sortes une fois l'été terminé? Tsss... tsss! Ressortez vite tout cela car il n'y a rien de plus amusant que de jouer à la plage en habit de neige! Installez-vous dans la cour arrière ou rendez-vous au parc le plus proche et construisez un petit château de neige à l'aide de tous ces accessoires conçus pour la plage! Creusez un chemin et créez un superbe petit village blanc tout autour du château. Enfin, si vous avez opté pour le parc, profitez-en pour redécouvrir cet espace endormi sous la neige. Invitez votre enfant à glisser sur le toboggan (c'est encore plus rapide l'hiver, vous verrez!), balancez-vous de concert, grimpez à l'échelle de corde et laissez-vous tomber dans la neige s'il y en a suffisamment pour amortir la chute!

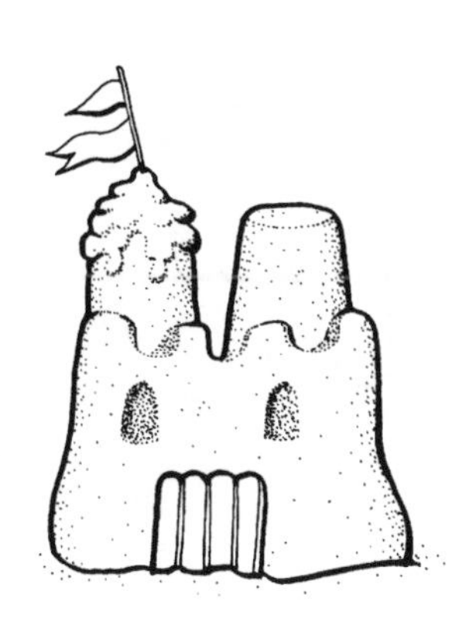

14 janvier

Mon bilboquet

Qui ne connaît pas le jeu du bilboquet? Plutôt que de dépenser de l'argent dans un magasin pour vous en procurer un, fabriquez-le vous-même avec la complicité de votre enfant. Rien de plus facile! Il s'agit de vous munir d'un verre en plastique (dont vous aurez percé le fond), d'une ficelle d'environ un mètre de long et, enfin, d'une petite balle dont le diamètre sera légèrement inférieur à celui de l'ouverture du verre. Il n'y a ensuite qu'à attacher la balle (préalablement percée) à la ficelle, dont l'une des extrémités sera fixée au verre. Dès lors, en tenant le verre dans une main, on essaie d'y faire entrer la balle grâce à un mouvement de balancier. Après cinq essais, on compte les points (un par coup réussi) et on passe la main à l'autre joueur. Votre enfant pourra aussi s'amuser seul pendant un long moment, quitte à devenir par la suite imbattable à ce jeu!

15 janvier

Pas le bocal!

Prenez un bocal de verre muni d'un couvercle et remplissez-le de boutons divers, de billes, de pièces de monnaie ou encore de bandes élastiques en prenant bien soin de compter minutieusement le nombre d'objets qui y seront introduits. Écrivez alors ce nombre sur un bout de papier que vous pliez en quatre et que vous faites glisser au fond de votre poche. Rassemblez ensuite les participants et demandez-leur de deviner le nombre exact d'objets que contient le bocal. Chacun peut évidemment le soupeser et l'examiner à loisir durant quelques instants avant d'énoncer un chiffre. Le joueur dont l'estimation est la plus proche est déclaré vainqueur!

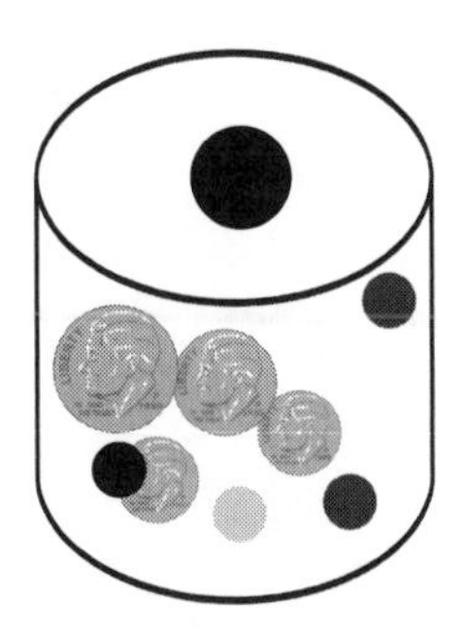

16 janvier

Le tour du monde

Voici un jeu basé sur les connaissances générales et l'expression corporelle. Il consiste à faire deviner aux autres joueurs le nom d'un pays ou d'une région du monde. Comment? En imaginant une scène caractéristique en rapport avec une contrée bien déterminée, scène qu'il faudra bien sûr mimer devant public. Ainsi, par exemple, pour les États-Unis ou le Canada, on pourrait mimer l'exercice de leur sport national, soit respectivement le baseball et le hockey; dans le cas de l'Australie ou de l'Afrique, un animal typique de ces régions pourrait être imité (un kangourou ou un lion); enfin, cela pourrait être quelques pas ou figures de leurs danses traditionnelles (par exemple pour la Russie ou l'Espagne). Dès que le pays ou la contrée a été deviné, celui qui a annoncé la bonne réponse doit à son tour relever le défi de l'art du mime!

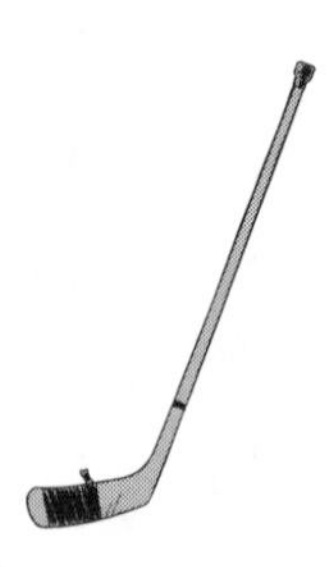

17 janvier

Qui est à l'appareil?

Votre enfant et trois ou quatre de ses copains viennent de rentrer après une bonne bataille de boules de neige... Offrez-leur, bien sûr, un bon chocolat chaud et, le temps qu'ils rechargent leur batterie, proposez-leur un jeu qui demande une bonne ouïe mais peu d'énergie. Muni d'un magnétophone doté d'un micro, faites venir les enfants à tour de rôle dans une pièce assez éloignée de celle où sont rassemblés leurs camarades. Demandez à chaque enfant de prononcer une ou deux phrases en déguisant sa voix: il peut mettre un foulard sur sa bouche, se pincer le nez, se mettre des quartiers d'orange à l'intérieur des joues, imiter la voix d'un enfant du sexe opposé ou prendre un accent étranger. Enregistrez-le puis invitez un autre enfant à prendre sa place. Répétez l'expérience jusqu'à ce que tous les enfants aient été enregistrés, chacun sur des cassettes différentes de manière à ce que vous puissiez, par la suite, les faire écouter dans le désordre... sinon ce serait trop facile! (N'oubliez pas de noter le nom des enfants sur chaque cassette.) Remettez une feuille de papier et un crayon à chaque enfant, puis faites défiler les bandes en leur demandant d'écrire, pour chacune, le nom de celui ou de celle qu'ils croient avoir reconnu (ils devraient au moins obtenir une bonne réponse puisqu'ils font partie du lot!). Celui qui a reconnu le plus grand nombre de voix remporte la partie!

18 janvier

Charades

Jouer aux charades... voilà une activité qui a traversé les âges et les modes, tout en demeurant, encore aujourd'hui, un jeu fort apprécié des petits comme des grands. Il s'agit de trouver un mot que l'on reconstruit en plaçant bout à bout d'autres petits mots présentés comme autant de devinettes. (La plupart du temps, on décompose le mot en trois ou quatre syllabes constituant autant de mots à deviner; seul le son est considéré pour ces vocables et non l'orthographe.) Pour le premier mot à trouver, on annonce «Mon premier...»; puis, c'est «Mon deuxième...» et ainsi de suite, jusqu'à l'annonce finale «Mon tout est...». Chacun des mots à trouver doit être commenté par une explication ou par une définition qui peut être classique, humoristique ou poétique. Par exemple:

- *Mon premier* désigne les membres qui permettent à un animal d'avancer.
- *Mon deuxième* est fort apprécié quand on se trouve au beau milieu du désert.
- *Mon troisième* est le symbole utilisé pour représenter un gramme.
- *Mon tout* est l'action de marcher sur un sol détrempé ou de s'embrouiller dans de multiples difficultés.
- **Réponse:** Patauger (pattes-eau-g)

19 janvier

Serpents et échelles

Vous connaissez sûrement le jeu des serpents et des échelles car on en trouve depuis longtemps dans toutes les boutiques de jouets. Rendez l'activité encore plus rigolote en invitant votre enfant à créer sa propre planche de jeu! Utilisez un grand carton épais (blanc de préférence) et tracez-y un tableau comportant cinq rangées de 10 cases chacune. Numérotez-les en partant du bas (la première case à gauche sera la case de départ), de gauche à droite (1 à 10), puis de la droite vers la gauche (11 à 20), et ainsi de suite, jusqu'à la case 50 (case d'arrivée). Demandez ensuite à votre enfant de décorer chacune des cases, soit en y apposant de petits autocollants, soit en y dessinant des animaux de la jungle ou d'autres motifs divers. Dites-lui bien de prévoir certains raccourcis (les échelles qui permettent de grimper d'une case à une autre) et quelques contretemps (des serpents qui font glisser le pion du joueur qui s'y pose à une case située plus bas). Utilisez deux boutons de couleur différente en guise de pions et, à l'aide d'un dé, commencez la partie. Les règles sont simples, il suffit, à tour de rôle, de lancer le dé et d'avancer son pion d'autant de cases que le chiffre obtenu. Le premier à atteindre la case 50 — avec un compte exact — est déclaré vainqueur.

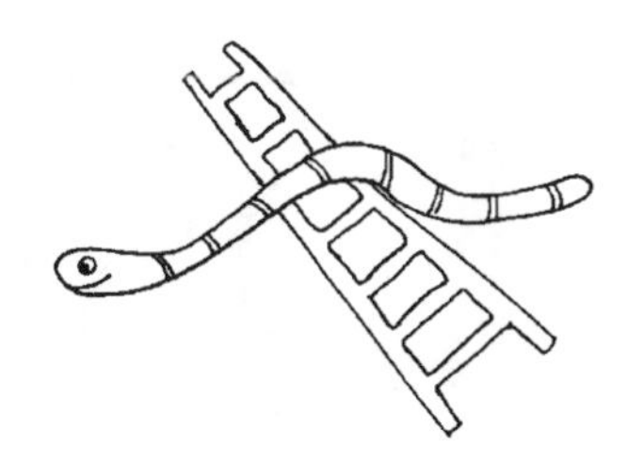

20 janvier

Bonshommes de neige

Connaissez-vous des jeux plus populaires que les jeux de poursuite? En voici un qui peut se pratiquer les jours d'hiver, dans la neige, et qui se révèle idéal pour réchauffer les petits membres. On divise les joueurs en deux camps: un petit groupe de poursuivants et un nombre plus élevé de... poursuivis. Ces derniers doivent être munis d'un accessoire propre au traditionnel bonhomme de neige: une carotte, un foulard, une pipe ou un bouton! Au signal donné, chacun des poursuivants se lance aux trousses d'un joueur afin de le toucher de la main. Dès que l'un des joueurs a été touché, il s'arrête net et ne bouge plus... car il vient d'être transformé en bonhomme de neige! Les autres joueurs poursuivis tentent alors de le délivrer et, pour ce faire, il faut que l'un d'entre eux parvienne à lui remettre l'accessoire qui est en sa possession. Dès qu'il reçoit le précieux objet, le bonhomme est délivré et peut reprendre sa course. Lorsque tous les joueurs poursuivis ont été transformés en bonshommes de neige, ou simplement après un certain délai fixé à l'avance, on inverse les rôles!

21 janvier

La grotte de Lascaux

Aujourd'hui, revivez une page d'histoire avec votre enfant. Imaginez que vous êtes les membres d'une famille préhistorique réfugiée dans une caverne afin d'être mieux protégée du froid et des animaux sauvages. Les hommes du clan sont partis à la chasse et... pour tromper l'ennui, pour égayer votre habitat ou encore pour porter chance aux vaillants chasseurs, vous décidez de décorer les parois de la grotte de magnifiques dessins. Procurez-vous des toiles encollées sur du carton ou, au choix, utilisez des planchettes de bois fendillées. Optez pour de la gouache en privilégiant les couleurs terre telles que diverses teintes de brun, d'ocre, d'orangé et de jaune (ajoutez du blanc ou du noir pour pâlir ou foncer ces couleurs de base). Vous pouvez, dès lors, peindre sur la toile ou la planchette certains animaux tels que ceux figurant sur les parois de la célèbre grotte de Lascaux: bisons, aurochs, chevaux, etc.

Une autre option consiste à étendre la gouache sur du papier ciré et à y tremper les mains... que l'on appuie ensuite sur la toile de manière à y laisser des empreintes. À l'aide d'un mince pinceau et d'un peu de peinture noire, on en souligne les contours, puis on recommence à faire d'autres empreintes d'une autre couleur. Mains d'adulte et mains d'enfant mêlées, dans de chaudes couleurs terre, voilà qui constituera un souvenir à conserver aussi précieusement que l'ont été les traces de nos lointains ancêtres... Aussi, lorsque la peinture sera bien sèche, on aura tout intérêt à la recouvrir d'une fine couche de vernis mat.

22 janvier

Gare aux lettres

Vous êtes chef de pupitre dans un grand quotidien et vous décidez de confier une mission bien particulière à votre équipe de correcteurs. Avant tout, commencez par distribuer à chaque participant un crayon rouge et, surtout, une photocopie d'un article de journal (tous les enfants doivent recevoir une copie du même article). Leur tâche? Elle est des plus simples. Au signal donné, chaque correcteur en herbe devra biffer la lettre que vous aurez choisie au hasard, par exemple la lettre *r*. Cela signifie que tous les *r* de l'article donné devront être rayés. Chaque joueur dispose de deux minutes pour faire l'exercice, et c'est vous qui annoncez que le jeu est terminé lorsque le temps accordé s'est écoulé. Vous comptez alors un point par lettre biffée, mais vous enlevez trois points par lettre oubliée. Un correcteur qui n'est pas assez attentif a donc de fortes chances de se faire virer de la boîte! On peut répéter le jeu à volonté: il suffit, chaque fois, d'annoncer une nouvelle lettre à biffer!

23 janvier

Mikado

Procurez-vous deux douzaines de bâtonnets de bambou (ou de bois léger) tels que ceux qui servent à préparer des brochettes. Dans un premier temps, séparez-les en trois paquets égaux. Puis, invitez votre enfant à peindre, à la gouache, une bande de couleur près de chacune des extrémités des bâtonnets qui composent les trois paquets de manière à obtenir: 8 bâtonnets marqués de rouge (5 points), 8 autres marqués de bleu (3 points) et les 8 derniers marqués de jaune (1 point). Une fois que la peinture a séché, vous obtenez un magnifique jeu de mikado maison. Comment y joue-t-on? Ce n'est guère compliqué... Il suffit de prendre tous les bâtonnets dans une main, en les tenant bien serrés les uns contre les autres. Puis, on les relâche en ouvrant rapidement la main afin qu'ils se répandent en tas sur la table. Le joueur le plus jeune a l'avantage de commencer le premier. Il doit essayer de retirer les bâtonnets, un à la fois, sans jamais en faire bouger un autre du même coup. Dès qu'il commet une erreur, c'est à l'autre joueur de relever le défi, et ainsi de suite, jusqu'à ce qu'il ne reste plus aucun bâtonnet sur la table. On fait alors le compte et celui qui a amassé le plus de points est déclaré vainqueur. Évidemment, l'objectif consiste à ramasser le plus de bâtonnets possible mais attention aux couleurs: les bâtonnets rouges sont nettement plus rentables que les jaunes!

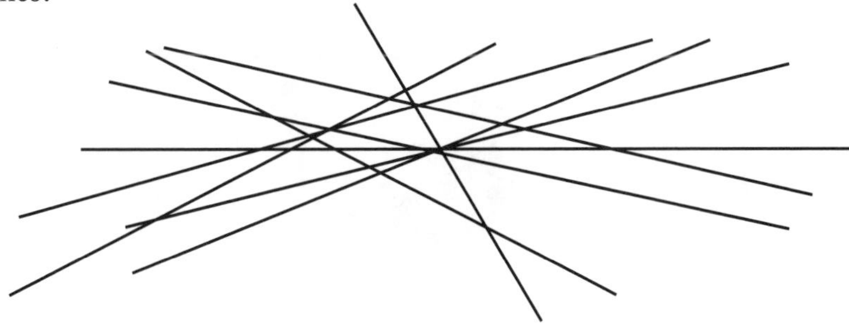

24 janvier

Luge en folie

Tout d'abord, il s'agit de trouver une petite pente enneigée, à l'écart de la route et dégagée de tout obstacle dangereux (comme des arbres, une clôture, des rochers, etc.) pour la pratique de la luge. Une fois le terrain idéal trouvé, on fait une première descente. Celui ou celle qui s'est rendu le plus loin reste à sa place: on creuse alors une ligne située à environ quatre ou cinq mètres plus loin et on y place autant de foulards qu'il y a d'amateurs de luge moins un. (On enterre sous la neige l'une des extrémités du foulard et on laisse un intervalle d'environ trois mètres entre les foulards). On remonte alors la pente et on se place pour un nouveau départ en s'assurant de laisser une bonne distance entre les participants. Au signal donné, on entame la descente, puis, une fois la glissade achevée, on court jusqu'à la ligne, on attrape un foulard, on reprend la luge et on remonte. Ouf! Celui qui n'est pas parvenu à attraper un foulard est éliminé et se voit charger d'une corvée. Il remonte la pente, reprend les foulards, redescend et les replace dans la neige sauf un. La «luge en folie» reprend jusqu'à ce qu'il ne reste plus qu'un foulard pour deux joueurs. Celui qui s'en empare peut alors monter sur le podium!

25 janvier

T'es sourdingue ou quoi?

Votre enfant a-t-il l'ouïe bien développée? Saurait-il reconnaître, au simple son, certains objets ou certaines actions? Pour vérifier tout cela, voici un petit jeu pas compliqué et amusant qui ne demande rien d'autre que ce qui se trouve à portée de la main et bien sûr... beaucoup d'attention! Commencez par bander les yeux de votre enfant à l'aide d'un foulard. Puis, faites-lui entendre certains bruits particuliers: l'eau qui coule du robinet, le claquement d'une porte, l'ouverture d'une fenêtre, un rasoir électrique, une bouteille que l'on débouche, la bouilloire qui siffle, etc. Mettez-le au défi, chaque fois, de deviner l'origine du son qu'il entend. Après un test d'oreille composé d'une dizaine de sons divers, inversez les rôles. Assurez-vous cependant, si votre enfant est encore très jeune, qu'il puisse disposer de la complicité d'un adulte lorsque ce sera à son tour de vous tester... ceci afin d'éviter tout risque d'accident, pour vous comme pour lui!

26 janvier

Jeu de mémoire

Ce jeu n'exige peut-être qu'un simple paquet de cartes, mais il demande toutefois un intense effort de concentration et de mémorisation. Mélangez bien les 52 cartes, puis étendez-les sur la table, face cachée, de manière à former plus ou moins un carré. Le joueur le plus jeune débute le premier en retournant deux cartes. Si ces cartes sont de même valeur (par exemple deux as, deux valets ou deux 10), il les retire du jeu, les place en paquet devant lui et retourne deux autres cartes. Toutefois, si les cartes sont dissemblables, il mémorise leur emplacement et cède la main à l'adversaire. Ce dernier procède de la même façon. Chaque fois qu'un joueur parvient à rassembler une paire, il peut jouer de nouveau, sinon, son tour s'arrête là. Une fois que toutes les cartes ont été appariées, on procède au comptage. Celui dont la pile contient le plus de cartes est déclaré champion mnémonique! Quant à l'amnésique, il convient de lui accorder un droit de revanche!

27 janvier

Pétanque sur neige

Jouer à la pétanque sans les fameuses boules métalliques et surtout... en hiver? Eh bien oui, c'est possible! Le seul matériel dont vous avez besoin consiste en un piquet (un bâton de hockey pourrait faire l'affaire) et en quatre petites balles de caoutchouc dont deux portant une marque distinctive seront attribuées à l'adversaire. Dès lors, il ne reste plus qu'à choisir un terrain de surface plane recouvert d'au moins 40 cm de neige légèrement poudreuse. Convenez d'une ligne de départ et plantez le piquet à environ 5 à 10 m de cette ligne. L'objectif, vous l'aurez deviné, consiste à lancer ses balles le plus près possible du piquet. Toutefois, comme elles s'enfonceront dans la neige, le premier défi qui se posera au joueur sera bien sûr de les retrouver! À chaque manche, un joueur peut gagner un maximum de deux points (par exemple, si ses deux balles sont les plus rapprochées de la cible). Une partie comporte cinq manches. Le gagnant est évidemment celui qui aura accumulé le plus de points. Par ailleurs, en cas de litige, n'hésitez pas à sortir le ruban à mesurer! Peuchère! La pétanque, c'est sérieux! Parole!

28 janvier

Le monstre du loch Ness

Vous voulez offrir à votre enfant une délicieuse petite collation qu'il dévorera en un rien de temps? D'autant plus que le cher enfant tourne en rond depuis quelque temps en se demandant à quoi il pourrait bien jouer? Faites d'une pierre deux coups en l'invitant à créer de toutes pièces cet animal de légende que d'aucuns affirment avoir entraperçu dans les eaux du loch Ness... Vaillant comme pas un, il n'en fera ensuite qu'une bouchée! Pour commencer, demandez-lui d'éplucher une banane. Puis, une fois n'est pas coutume, proposez-lui d'enfoncer à moitié des «smarties» (ou toute autre friandise) de couleur verte le long de la courbe extérieure de la banane. À l'une des extrémités du fruit, il n'a plus qu'à faire une petite fente dans laquelle il insérera un bonbon rouge (la langue de Nessie) alors que, de chaque côté, deux raisins secs représenteront les yeux de la timide créature. On met le tout dans un verre de lait dans lequel on aura déposé, au préalable, quelques gouttes de colorant alimentaire bleu. Voici enfin que se révèle Nessie! Et comme à l'habitude... il sera difficile de conserver une preuve de sa présence car il y a fort à parier que le monstre disparaîtra en très peu de temps!...

29 janvier

Ne pas déranger svp

Pourquoi ne pas proposer à votre enfant de fabriquer des affichettes originales qu'il pourra accrocher, au gré de ses humeurs, au bouton de porte de sa chambre? Il en existe, bien sûr, une variété de modèles sur le marché, mais ce sera beaucoup plus amusant, pour votre enfant, de réaliser ses affichettes lui-même et surtout... d'y apposer ses propres messages. Quelques exemples?: «Génie au travail!», «Interdit aux plus de 18 ans!», «Ranger? Non mais ça va pas!» ou «Entrez... à vos risques et périls!». Règle générale, ce genre d'affichette mesure de 4 à 5 cm de large sur 30 cm de long, tandis qu'une ouverture — d'un diamètre légèrement supérieur à celui d'un bouton de porte — est pratiquée dans la partie supérieure. Vous n'avez plus qu'à reproduire ce modèle sur du carton, à découper le tout et à inviter votre enfant à le décorer et à le personnaliser à sa guise: dessins à la gouache ou aux marqueurs, symboles, mises en garde ou messages divers adressés aux éventuels visiteurs... On y réfléchira sûrement à deux fois avant d'envahir son antre si l'affichette du jour indique: «Danger! Enfant explosif!»

GÉNIE AU TRAVAIL

30 janvier

Les moyens de transport

Vous voilà partis pour un long trajet en voiture et la sempiternelle question est déjà sur les lèvres de votre enfant: «C'est encore loin, dis?». Ce petit jeu de questions-réponses devrait vous permettre de faire encore un bon bout de chemin en distrayant la compagnie! Débutez la partie en lançant: «Ça vogue». Dès lors, votre enfant doit nommer, sans hésiter, un moyen de transport correspondant, par exemple, «Voilier». Tout de suite, il devra enchaîner avec une autre affirmation qui pourrait être la même ou bien: «Ça roule», ou encore: «Ça vole». Chaque fois qu'un joueur hésite, répète un moyen de transport déjà nommé ou se trompe, l'adversaire récolte un point. Le premier qui obtient cinq points gagne la partie! On peut évidemment jouer autant de parties que l'on veut!

31 janvier

Le cycle de l'eau

Votre enfant vient de terminer son bonhomme de neige, ses joues sont d'un rouge écarlate et des glaçons pendent à sa tuque et à son foulard? Profitez de tout cela pour éveiller sa curiosité quant au cycle de l'eau. Déposez des morceaux de glace dans une soucoupe et demandez-lui d'observer et de commenter ce qu'il voit. D'où vient la glace? Pourquoi se met-elle à fondre? Qu'arrive-t-il si on remet la soucoupe (contenant dorénavant de l'eau) au congélateur? Pourquoi? Si on repose la soucoupe sur la table, après quelque temps, la glace s'est-elle encore transformée? Si on prend de l'eau et qu'on la met à bouillir dans une petite casserole, que se passe-t-il? Comparez cette eau à celle de la mer et la vapeur aux nuages. Montrez-lui l'intérieur du couvercle de la casserole. Pourquoi toutes ces gouttelettes? Tenez le couvercle au-dessus de la casserole de manière à ce que les gouttes y tombent. Ça ressemble à de la pluie? Demandez à votre enfant de dessiner sur une feuille de papier ce qu'il a compris du cycle de l'eau: les lacs et la mer, la vapeur, les nuages, la pluie, la neige, la glace, etc.

1er février

Une abeille dans ma corbeille?

Voici un petit jeu de questions-réponses que l'on peut pratiquer partout et en tout temps, en duo ou en groupe, avec des participants de tous âges. Le plus jeune commence en posant une question, par exemple: «Que vas-tu mettre dans mon petit panier?». Le plus rapidement possible, il faut trouver une réponse — cela peut être n'importe quoi: un animal, un objet, etc. — qui rime avec panier. Le premier joueur à y parvenir obtient un point et il doit enchaîner immédiatement avec une autre question semblable, à laquelle, bien sûr, quelqu'un devra trouver une réponse originale. Dès qu'un joueur a accumulé cinq points, on commence une autre partie. Si seulement deux joueurs participent au jeu, ils doivent poser leur question à tour de rôle. Une mauvaise rime, une réponse déjà fournie ou une trop longue hésitation donne automatiquement un point à l'adversaire.

Quelques exemples de questions pouvant être posées:

— Que vas-tu mettre dans ma petite corbeille? Une abeille!

— Que vas-tu mettre dans mon petit sac? Un lac!

— Que vas-tu mettre dans ma petite auto? Un taureau!

2 février

Correspondance

Votre enfant s'ennuie de tatie? de mamie? Il pourrait lui écrire quelques mots ou lui envoyer un petit dessin et, qui plus est, sur du magnifique papier à lettres qu'il aura personnalisé à sa façon! Procurez-vous des enveloppes et du papier blanc tout à fait standard et invitez-le à décorer le tout de motifs assortis. Des petites fleurs autour du papier et en bordure de l'enveloppe, dessinées à l'aide de marqueurs, voilà qui sera joli! Vous pouvez aussi sortir pinceaux et tubes de peinture aquarelle (ou de la gouache diluée avec beaucoup d'eau) et l'inviter à mettre des touches de couleur aux quatre coins du papier et de l'enveloppe. Il n'y a plus qu'à faire sécher et, ensuite, à composer la plus charmante des missives. Utilisez différents articles que vous avez sous la main — parfum à vaporiser, poudre scintillante ou paillettes à coller, poinçon pour perforer le papier, etc. — pour créer d'autres assortiments originaux. Cette activité multipliera par 100 le plaisir déjà bien réel que l'on ressent lorsque l'on décide de correspondre avec un être cher...

3 février

Le designer de mode

Votre enfant a irrémédiablement taché son gilet en coton ouaté tout neuf? Rien ne sert de se lamenter (le mal est fait!) d'autant plus que tout n'est pas perdu! *À quelque chose malheur est bon* dit le proverbe... En effet, vous pouvez tirer profit de la situation en invitant votre enfant à dissimuler cette tache en l'intégrant à une création entièrement originale dont il sera l'auteur. Pour les besoins de votre designer de mode, vous devrez vous procurer quelques tubes de peinture conçue expressément pour le tissu (des crayons spéciaux destinés à cet usage existent aussi sur le marché). Vous trouverez ces produits dans les boutiques d'art, d'artisanat ou de tissu et parfois même dans les grandes surfaces. Une fois en possession du précieux matériel, demandez à votre enfant de composer, à l'aide de marqueurs, divers croquis sur une feuille de papier: des formes géométriques entremêlées, un visage rigolo, le sigle de *Batman*, ou n'importe quel autre dessin. Lorsque son choix sera arrêté, il pourra alors passer au stade suivant, qui consistera à reproduire l'œuvre directement sur le tissu en utilisant la peinture appropriée. Pour un meilleur résultat, insérez à l'intérieur du chandail un carton épais que vous maintiendrez en place à l'aide d'épingles à linge... ceci afin que la surface à peindre soit exempte de plis lorsque l'artiste vaquera à la tâche de dissimuler sa tache!

4 février

La chasse aux chiffres

Ce jeu ne demande rien d'autre que votre temps... et un bon sens de l'observation. On peut s'y adonner dans n'importe quelle pièce de la maison, mais la cuisine se révèle sans aucun doute le lieu le plus approprié. Il suffit de lancer un chiffre compris entre zéro et cinq... et ça y est, la chasse est ouverte! Disons que vous avez annoncé le chiffre quatre. Dès lors, votre enfant et vous devez trouver, à tour de rôle, et ce dans la pièce même où vous vous trouvez, ou bien ce chiffre lui-même, ou bien des objets pouvant lui être associés. Par exemple, dans la cuisine, cela pourrait être le quatre figurant sur l'horloge ou le four à micro-ondes, les quatre pieds de la table, les quatre serpentins de la cuisinière, les quatre tiroirs et les quatre poignées qui les accompagnent, etc. On peut évidemment fixer un délai — 30 secondes ou 1 minute — après quoi, si le joueur n'a rien trouvé, c'est l'adversaire qui se voit attribuer le point. Et l'on recommence avec un autre chiffre!

5 février

Les bons contes font les bons amis

Ce jeu consiste à deviner le titre d'un conte à partir de rien... ou presque! Choisissez un titre de conte — n'importe lequel — et inscrivez, sur une feuille de papier ou sur un tableau, autant de tirets qu'il y a de lettres dans ce titre, en prenant soin de laisser un vide entre chaque mot.

Par exemple: _ _ _ _ _ _ _ _ _ _ _ _ _

Votre enfant peut alors déjà tenter d'avancer une réponse, sinon il énonce une lettre au hasard. Si cette lettre se trouve dans le titre, vous l'inscrivez sur le ou les tirets appropriés. Et le jeu se poursuit jusqu'à ce que, lettre après lettre, votre enfant parvienne à deviner de quel conte il s'agit. Avez-vous deviné celui dont il était question ci-haut? Non? Voici quelques lettres pour vous mettre sur la piste: un L, deux P, trois T... Toujours rien? *Le Petit Poucet* voyons!

Note: Si plusieurs enfants participent au jeu, ils doivent énoncer une lettre à tour de rôle mais, dès que l'un d'entre eux croit avoir trouvé la bonne réponse, il peut l'annoncer à voix haute à n'importe quel moment. Attention, si la réponse est erronée, il sera éliminé! Par ailleurs, il est possible de varier la catégorie: par exemple des titres de film, des proverbes, etc.

6 février

Souris… tu m'inquiètes!

Préparez-vous à mordre l'intérieur de vos joues, à vous concentrer sur un aspect désagréable de la journée ou encore à tomber dans une sorte de léthargie… car l'objectif de ce jeu consiste à garder tout son sérieux. Les deux joueurs doivent être installés face à face. Votre enfant aura pour mission de vous faire rire tandis que de votre côté, vous devrez, au contraire, tenter de rester de marbre. En d'autres termes, interdit de rire aux éclats et défense même de sourire… malgré les grimaces, les blagues, les pitreries, les poses extravagantes et toutes les élucubrations possibles et imaginables dont vous serez le témoin privilégié! Dès que vous flancherez — et vous le ferez c'est certain —, ce sera à votre tour de faire le clown devant votre enfant… À charge de revanche, comme on dit!

7 février

Le Martien de neige

Il a beaucoup neigé durant la nuit et le temps est clément aujourd'hui? C'est le moment idéal pour aller faire un bonhomme de neige un peu spécial. Ras le bol de la traditionnelle carotte en guise de nez? Envolé le vieux couvre-chef de papy? Qu'à cela ne tienne car le bonhomme venu de Mars n'en a nul besoin. Au début, procédez comme à l'habitude, c'est-à-dire mettez deux grosses boules de neige l'une par-dessus l'autre, la plus petite se retrouvant au sommet. Là doit s'arrêter toute ressemblance avec le cher Bonhomme Hiver. En d'autres termes, composez, avec votre enfant, une créature pareille à nulle autre. Prenez deux bâtonnets de bambou (on s'en sert pour les brochettes) et piquez une boule de styromousse à l'une des extrémités de chacune: vous obtiendrez deux antennes à ficher sur le dessus de la tête du Martien! Utilisez trois capsules métalliques (comme celles que l'on trouve sur les bouteilles de bière) pour créer des yeux des plus étranges tant par leur nombre que par leur forme! Versez du colorant alimentaire vert dans un vaporisateur contenant de l'eau et donnez de la couleur à la peau de votre Martien! Enfin, servez-vous de différents matériaux (assiettes d'aluminium, tuyau flexible, pailles multicolores, boutons de couleur or ou argent, etc.) pour la décoration finale. Attention! N'en faites pas trop! Votre Martien de neige sera peut-être à l'origine d'une véritable panique dans le voisinage!

8 février

ABC

Ce jeu fera appel à la fois à l'imagination de votre enfant et à sa vivacité d'esprit tout en lui permettant d'enrichir son vocabulaire! Le principe est simple (mais pas nécessairement facile): il suffit d'énoncer une phrase dont le premier mot devra débuter par la lettre A, le second par la lettre B, et ainsi de suite, toujours en respectant l'ordre alphabétique (il n'est pas obligatoire que les articles soient soumis à la règle). Disons que vous commencez en affirmant «André Boit du Café». Votre enfant pourrait continuer en disant: «André Boit du Café du Danemark», ou encore inventer une toute nouvelle phrase: «Aline Berce Calmement Dorothée», etc.

9 février

Le jeu des familles

Il s'agit d'un jeu de cartes simple et amusant qui convient parfaitement aux jeunes enfants. Mêlez les cartes, distribuez-en sept à votre enfant et sept à vous-même, face cachée, puis disposez le reste des cartes en une pile placée au centre de la table; elle constituera le talon. L'objectif est de reconstituer le plus grand nombre de familles possible, une famille étant composée de quatre cartes de même valeur: 4 trois, 4 dames, 4 as, etc. Disons que vous commencez. Vous regardez les cartes que vous avez en main, puis vous cherchez à agrandir une de vos familles potentielles en demandant à votre enfant, par exemple, s'il a des 10 (vous devez alors avoir au moins un 10 en votre possession). S'il en possède un — ou même plusieurs —, il doit obligatoirement vous les remettre. S'il n'en a pas, vous devez piocher une carte dans le talon et, à moins que cela ne soit la carte demandée (un 10 ici), votre tour s'arrête là. Votre enfant fait alors de même: par exemple, il vous demandera: «As-tu des rois?» et ainsi de suite. Dès qu'un joueur parvient à réunir une famille, il dépose ses 4 cartes sur la table devant lui. Le gagnant est celui qui, le premier, réussit à se débarrasser de toutes les cartes qu'il a en main, ou encore, s'il ne reste plus de cartes dans le talon, celui qui a rassemblé le plus grand nombre de familles.

10 février

Ça schtroumpfe?

L'un des joueurs, désigné au hasard, doit choisir un verbe (il l'écrit sur un bout de papier et le glisse au fond de sa poche en guise de preuve!) que l'autre joueur devra deviner à l'aide de questions. Pas sous n'importe quelle forme! Les questions doivent être formulées en remplaçant le verbe à trouver par «schtroumpfer», en l'honneur, bien sûr, de ces petits personnages bleus bien connus de tous! Il ne faudra répondre aux interrogations que par «oui», «non», «parfois» ou encore «je ne sais pas», à la condition que cela soit la vérité. Voilà quelques exemples de questions:

- Est-ce que tous les êtres humains peuvent «schtroumpfer»? — Oui.
- Est-ce que c'est difficile de «schtroumpfer»? — Non.
- Est-ce que l'on peut «schtroumpfer» à l'intérieur? — Oui.
- Est-ce que l'on peut «schtroumpfer» à l'extérieur? — Oui.
- Est-ce que l'on a besoin de ses pieds pour «schtroumpfer»? — Non.
- Est-ce que l'on a besoin de ses mains pour «schtroumpfer»? — Oui.
- Est-ce qu'on apprend à «schtroumpfer» à l'école? — Non.
- Est-ce que c'est nécessaire de «schtroumpfer»? — Oui.

Vous avez trouvé? Vous avez le droit de poser 10 questions au total. Dans l'exemple cité, le verbe secret était «manger».

11 février

Valentin, Valentine

Compte tenu des délais normaux du service des postes, c'est aujourd'hui que votre enfant devrait envoyer de belles cartes de la Saint-Valentin à tous les êtres qui sont particulièrement chers à son cœur! Du papier cartonné et de la feutrine de couleur rouge, rose ou blanche, des marqueurs ou des crayons de bois, des ciseaux, du ruban adhésif ou un bâton de colle, un crayon-feutre à pointe fine, voilà le matériel de base qu'il lui faut! Laissez aller ensuite l'imagination de votre enfant: il pourra confectionner des cartes en forme de cœur, coller des cœurs en feutrine rouge sur une carte de format plus traditionnel, écrire un message d'amour à sa grand-mère, envoyer un petit mot tendre à son enseignante ou simplement dire à ses amis à quel point il les apprécie! Il pourrait coller sur sa carte une photo de lui entourée d'un beau gros cœur... cela ornera très bien la table de chevet de la personne qui recevra la missive accompagnée de ce joli présent. Après tout, si le proverbe dit vrai, il vaut mieux tout prévoir: Près des yeux... près du cœur?

12 février

Haut les cœurs!

Créer un mobile pour la Saint-Valentin, voilà une excellente idée! S'il est placé bien en évidence dans l'entrée de la maison, personne ne pourra prétendre avoir oublié l'événement... Pour réaliser ce projet, il suffit d'utiliser un pinceau, de la gouache rouge, des assiettes de carton ou de styromousse (trois petites et une grande), de la ficelle, du papier cartonné de couleur (rouge, rose, mauve), des ciseaux, un cintre et... hop! le tour est joué! On commence par peindre les assiettes en rouge des deux côtés. Une fois qu'elles sont bien sèches, on perce une ouverture au milieu ainsi que tout autour de la bordure (à un intervalle de 4 cm). On passe tout d'abord la grande assiette à travers le fil de fer du cintre (la partie recourbée qui s'accroche) de manière à ce qu'elle forme une sorte de parapluie. On découpe ensuite une multitude de cœurs dans le papier cartonné, on perce des trous dans la partie supérieure de chacun et on y enfile différentes longueurs de ficelle dont l'une des extrémités sera fixée, à l'aide d'un nœud, aux différents trous pratiqués dans la bordure de la grande assiette. Quant aux trois petites assiettes, on passe une ficelle au milieu de chacune d'elles (utilisez des ficelles de diverses longueurs pour un plus bel effet), on fait un nœud à l'une des extrémités tandis que l'autre va s'accrocher à la partie inférieure du cintre. Enfin, on accroche encore des cœurs tout autour de la bordure de chacune de ces petites assiettes. Le mobile est terminé et on l'installe à l'endroit le plus passant de la maison!

13 février

Poème d'amour

Suggérez à votre enfant de composer un poème d'amour à offrir à son Valentin ou à sa Valentine. Révélez-lui le secret de la rime, la beauté des métaphores et la belle sonorité du langage poétique. Aidez-le au besoin mais ne brisez surtout pas son inspiration… Laissez-le plutôt consulter le dictionnaire, sa grammaire, son livre de synonymes et tout autre volume susceptible de contribuer à améliorer sa prose… Une fois que le poète ou la poétesse aura terminé son œuvre, invitez l'artiste à prendre sa plus belle plume et à recopier son texte sur du beau papier vélin qu'il pourra orner de motifs appropriés…

14 février

Tout rouge!

Enfin, le jour tant attendu est arrivé! Pour l'occasion, le rouge et le rose, ainsi que les cœurs, seront évidemment à l'honneur. Quelques idées?

- Tous les membres de la famille devront porter au moins un vêtement ou un accessoire de couleur rouge;
- On gonfle une multitude de ballons, de couleurs rouge, rose, mauve et blanc, et on les suspend un peu partout dans la maison;
- On organise une chasse aux cœurs en chocolat (comme il est de tradition de le faire pour les œufs de Pâques);
- On dresse la table en prenant soin de mettre une nappe rouge ainsi que des serviettes de table et des chandelles assorties;
- Enfin, on sert, pour le dessert, un superbe gâteau au chocolat que l'on aura fait cuire dans un moule en forme de cœur!

BONNE SAINT-VALENTIN!

15 février

Ballon-balai

Voilà un jeu qui s'apparente au hockey sur glace mais qui se joue sans patins tandis que la rondelle et les bâtons sont remplacés par un ballon et des balais. Il ne fait pas trop froid dehors et la surface de la patinoire du parc le plus proche est lisse et brillante? Allez, vite! Il suffit de téléphoner à au moins cinq copains — chacun devant apporter son balai — et on organise une petite partie informelle entre amis. On installe, à chaque bout de la patinoire, une boîte de carton, en guise de but, que l'on maintiendra en place en posant une grosse pierre à l'intérieur. Évidemment, il ne faut pas oublier le ballon! Dès lors, tout est fin prêt! On divise les joueurs en deux groupes et on identifie le but à atteindre pour chacune des équipes. Deux joueurs se font face au centre de la patinoire tandis que l'arbitre — vous en l'occurrence! — procède à la mise au jeu (on laisse simplement tomber le ballon entre deux adversaires, qui, à l'aide de leur balai, tentent de faire une passe à un coéquipier). Ça y est! C'est parti! Les joueurs courent après le ballon, se font des passes en se rapprochant de leur cible et tentent de viser droit au but pour compter un point! Il est bien sûr interdit de toucher le ballon avec les mains ou de pousser un autre joueur… L'objectif premier consiste à prendre l'air, à dépenser de l'énergie et à s'amuser tous ensemble… Gagner ou perdre, ce n'est pas important!

16 février

Un fanion

Votre enfant apprécierait sûrement avoir son propre fanion pour célébrer des occasions spéciales ou encore pour décorer un mur de sa chambre. Pour en fabriquer un, c'est tout simple. Quelques matériaux suffisent: de la feutrine de différentes couleurs, de la colle, un bâtonnet en bois de 30 à 40 cm et 2 bandes élastiques! Commencez en découpant un grand triangle allongé (le fanion) dans un morceau de feutrine. Enroulez légèrement la base de ce triangle autour du bâtonnet et faites une marque sur la feutrine là où vous devrez faire une couture (à la main ou à la machine). Une fois ceci fait, assurez-vous que le bâtonnet se glisse aisément dans le fanion. Enlevez ensuite le bâtonnet et gardez-le à l'écart. Proposez dès lors à votre enfant de penser à un motif (arc-en-ciel, soleil, planètes, papillon, fusée, etc.) qu'il aimerait voir sur son fanion (il pourrait faire différents croquis sur du papier). Une fois qu'il aura fixé son choix, invitez-le à reproduire les différents éléments de son motif sur d'autres morceaux de feutrine. Découpez-les et demandez à votre enfant de les coller sur son fanion (d'un côté seulement ou de part et d'autre, à sa convenance). Une fois que la colle a séché, insérez de nouveau le bâtonnet dans le fanion, à l'endroit où la bande a été cousue. Maintenez le fanion en place grâce à des bandes élastiques enroulées plusieurs fois à sa base et au sommet (de cette manière, le fanion ne pourra pas glisser sur le bâtonnet et s'en échapper par le haut ou par le bas). En route pour le défilé!

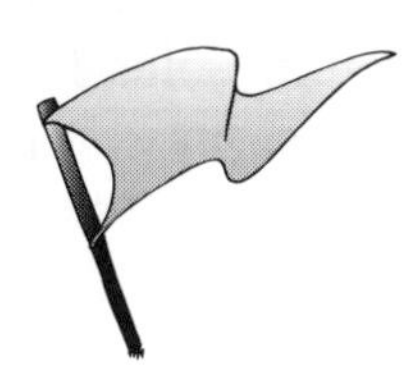

17 février

Le trésor glacé

Une bonne couche de neige recouvre le sol, le ciel est bleu et la journée ne s'annonce ni trop froide ni trop venteuse. C'est le temps idéal pour une chasse au trésor glacé... Une petite boîte métallique fera un coffre idéal à enfouir quelque part à l'extérieur sous une bonne couche de neige mais à un endroit qu'il vous sera facile de repérer (sur le côté de la remise, derrière la poubelle, etc.). Vous pouvez aussi décider de cacher un trésor dans un sac de tissu que vous dissimulerez à l'extérieur mais sans nécessairement l'enfouir sous la neige (par exemple dans la boîte aux lettres). Le trésor peut être n'importe quoi: des bijoux en toc, des billes multicolores représentant autant de pierres précieuses, ou bien une surprise telle qu'un petit jouet ou un livre, ou encore, s'il y plusieurs enfants, un sac de bonbons (il faudra cependant les laisser reposer à la température de la pièce au retour car ils risquent d'être un peu durs sous la dent!). Une fois que vous avez caché le trésor et dissimulé un certain nombre d'indices, donnez le signal du départ de la chasse au trésor glacé. Cela peut débuter par une petite phrase rimée, par exemple:

«Si tu veux un trésor, il te faut aller dehors.
Et pour une surprise agréable, va voir au pied de l'arbre.»

Au pied de l'arbre, vous aurez semé encore quelques indices, par exemple une enveloppe dans laquelle vous mettrez une carte de la cour avec un X à un endroit précis, où se trouveront d'autres indices, et ainsi de suite. Plus les enfants sont jeunes, plus faciles devront être les points de repère. Plus les enfants sont âgés, plus on pourra multiplier les étapes, les énigmes et les difficultés.

18 février

Étranges sculptures

Imaginez que vous vivez à New York et que vous êtes propriétaire d'une galerie d'art contemporain... Votre poulain — un jeune artiste des plus talentueux — doit préparer sa prochaine exposition de sculptures. Il a besoin d'encouragement, de matériaux et de quelques conseils, bien sûr, mais... par-dessus tout, il a besoin de sentir que vous croyez en lui. Alors, faites-lui confiance et laissez libre cours à son imagination! Fournissez-lui cependant toute l'aide matérielle nécessaire: boîtes d'œufs, rouleaux d'essuie-tout ou de papier hygiénique, boîtes à chaussures, boutons multicolores, pailles, bâtonnets à café, papier et plats d'aluminium, gobelets, fourchettes et cuillères de plastique, boules de styromousse, cure-pipes, bref, tout ce que vous pourrez trouver pour alimenter sa créativité sera bienvenu. Colle blanche non toxique, ficelle et pinces à linge pourront, avec un peu d'aide de votre part, contribuer à la naissance de superbes sculptures dignes de figurer au musée Guggenheim! Au gré de sa fantaisie, votre enfant pourra les peindre avec de la gouache ou les laisser au naturel, les décorer avec des retailles de tissu ou y apposer des touches de couleur faites au marqueur. Ah! la vie d'artiste n'est pas toujours de tout repos mais, au bout du compte, ça en vaut la peine, n'est-ce pas?

19 février

La pêche aux sous

Ce jeu, simple en apparence, exige cependant un bon sens de la stratégie pour amener l'adversaire à la défaite. Sans oser comparer la pêche aux sous au jeu d'échecs, il n'en demeure pas moins qu'un peu de réflexion, de la part du joueur, se révèle nécessaire avant de faire quelque manœuvre que ce soit, en particulier lorsque la partie tire à sa fin. Votre curiosité est aiguisée? Vous êtes prêt? Bon! Videz vos poches, voire votre tirelire... Oui! Oui! Car il vous faut au moins 25 pièces de monnaie que vous disposerez bien en évidence sur la table (vous pouvez aussi utiliser des boutons ou des jetons). À tour de rôle, ramassez un, deux ou trois sous, au choix. Interdiction cependant d'en empocher plus de trois. L'objectif? Évitez d'être celui qui ramassera le dernier sou! Essayez! vous verrez que c'est loin d'être aussi facile que cela en a l'air!

20 février

Macarons

Un politicien en campagne électorale vous a remis des macarons que vous avez conservés sans trop savoir pourquoi? Vous en avez récolté d'autres en participant à telle ou telle œuvre de charité? Après avoir fait le ménage de vos tiroirs et de vos coffrets, vous constatez que vous en possédez finalement toute une collection? Ne les jetez surtout pas. Proposez plutôt à votre enfant de les transformer à sa manière et selon ses goûts! Pour les macarons métalliques, procurez-vous de la peinture appropriée (comme celle que l'on utilise pour les modèles à coller) et, à l'aide d'un petit pinceau, votre enfant pourra réaliser, par-dessus l'ancien motif ou message, une toute nouvelle création. Il pourrait aussi bien utiliser des pâtes alimentaires diverses et les enduire de gouache: une fois le tout bien sec, il n'y a plus qu'à les coller pour obtenir un macaron tout à fait original! Les possibilités sont multiples... Place à la création artistique!

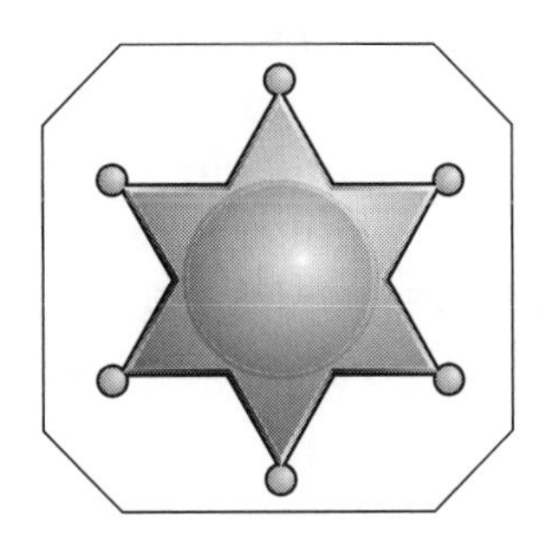

21 février

Codes secrets

Vous êtes un «agent très spécial» et vous devez envoyer un message de la plus haute importance à vos supérieurs. Cependant, vous êtes entouré d'espions qui ne désirent qu'une chose: mettre la main sur le précieux document! Pour plus de sûreté, codez votre message (une phrase de cinq ou six mots). Pour réaliser ce projet, plusieurs options sont possibles:

- On peut remplacer chaque lettre par un chiffre selon la position qu'elle occupe dans l'ordre alphabétique (A = 1, B = 2, C = 3, etc.);
- On peut intervertir la position des lettres (A = Z, B = Y, C = X, etc.);
- On peut numéroter les voyelles selon leur ordre alphabétique (A = 1, E = 2, I = 3, O = 4, U = 5, Y = 6), puis poursuivre avec les consonnes (B = 7, C = 8, etc.);
- On peut simplement mêler les lettres de chacun des mots... *rap eplxmee* (plutôt que «par exemple»).

L'important est qu'il y ait une clé derrière ce code de sorte que votre enfant — l'espion! — pourra parvenir, s'il y met efforts et patience, à déchiffrer le message secret. Une fois sa mission réussie, c'est lui qui devra rédiger sa missive selon un code connu de lui seul... pour le moment!

22 février

Décorations aimantées

Voilà une façon agréable et amusante de décorer la porte du réfrigérateur. En outre, elle présente l'avantage de permettre aux visiteurs éventuels d'admirer tout le talent artistique de votre enfant. Il s'agit simplement de se procurer, à peu de frais, une bande aimantée (on en trouve dans la plupart des quincailleries et des boutiques d'artisanat). Dès lors, tout est possible... Prenez du carton léger (mais assez épais) sur lequel votre enfant pourra réaliser un petit dessin à l'aide de marqueurs ou en utilisant de la gouache. Découpez le dessin et collez à l'endos un morceau d'aimant. Apposez le tout sur la porte du réfrigérateur et le tour est joué! Répétez l'exercice en diversifiant les formes, les dimensions, les motifs et les matériaux; ajoutez des plumes, des pâtes alimentaires colorées, bref, tout ce qui est susceptible de contribuer à l'originalité de la chose. Résultat? Vous obtiendrez un réfrigérateur à nul autre pareil!

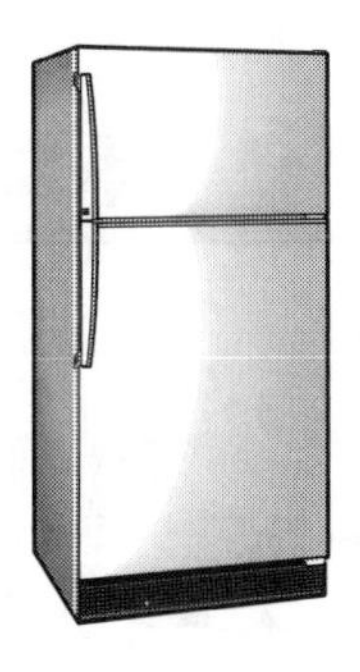

23 février

De Paris à New York

Vous venez de faire le tri de votre garde-robe en mettant de côté tout ce qui est démodé, usé, décoloré, taché, trop juste ou trop ample, sans compter ces nombreux accessoires (foulards, chapeaux, cravates, etc.) que vous avez achetés sur un coup de tête sans jamais oser les porter par la suite? Conservez tout précieusement car cela vous sera nécessaire pour organiser un défilé de mode digne des plus grandes maisons de couture de Paris ou de New York. Commencez par préparer, avec votre enfant et ses copains, quelques éléments du décor: des grands cartons blancs (bristol), sur lesquels on trouvera, par exemple, la tour Eiffel et la statue de la Liberté, serviront d'affiches pour les collections printemps et été. Sur d'autres, figurera le nom original de la grande maison de couture (ou du designer de mode) à l'origine des créations. À l'aide de ces affiches, décorez les murs du corridor (ou d'une autre pièce) où se déroulera le défilé. Transformez la salle de bains en loge réservée au maquillage et à la coiffure; installez un grand miroir sur pied ainsi qu'une habilleuse dans une autre pièce. Confectionnez des invitations réservées aux VIP. Donnez quelques leçons aux mannequins sur la façon de marcher pour mettre en valeur les nouvelles collections! Voilà, le défilé de mode peut commencer!

…vrier

…clopédie …ante

…e pas beaucoup de matériaux mais qui …onsidérable de la part des joueurs… en …tribue à chaque participant une feuille …jeune doit annoncer une catégorie, par …», «personnages de Disney», etc. Dès …nutes pour trouver le plus d'éléments …catégorie. Par exemple, pour «épices»: …, persil, etc. Une fois que le délai est …bre de mots qui figurent sur leur liste. …e est déclaré champion. On commence … à la gauche de celui qui a annoncé la …order le privilège de choisir un nouveau

25 février

Je vais au cirque

À la condition de ne pas avoir comme prénom Zoé, Yves ou William, ce jeu devrait susciter l'intérêt des petits comme des grands. Un premier joueur, désigné au hasard, débute la partie en affirmant: «Je vais au cirque et je vois...», puis, obligatoirement, il doit nommer une personne, un animal ou un objet qui s'y rapporte, mais attention... pas n'importe lequel... ce qu'il va énoncer devra nécessairement débuter par la première lettre de son prénom. Par exemple, si l'enfant s'appelle Andréanne, elle pourrait affirmer: «Je vais au cirque et je vois un acrobate!». Son voisin de gauche, disons David, devra immédiatement enchaîner avec: «Je vais au cirque et je vois un dompteur», et ainsi de suite. Si un joueur hésite plus de 10 secondes, répète un mot déjà nommé ou nomme une chose que les autres joueurs considèrent inappropriée au monde du cirque, il est automatiquement éliminé.

Variantes: «Je vais au théâtre...», «Je vais à l'école...», «Je vais au zoo...», et ainsi de suite.

24 février

L'encyclopédie vivante

Voici un jeu qui n'exige peut-être pas beaucoup de matériaux mais qui demande cependant un effort considérable de la part des joueurs... en particulier de leurs neurones. On distribue à chaque participant une feuille de papier et un crayon. Puis, le plus jeune doit annoncer une catégorie, par exemple «épices», «fleurs», «arbres», «personnages de Disney», etc. Dès lors, chaque participant a deux minutes pour trouver le plus d'éléments possible pouvant figurer dans cette catégorie. Par exemple, pour «épices»: cannelle, muscade, basilic, estragon, persil, etc. Une fois que le délai est écoulé, les joueurs comptent le nombre de mots qui figurent sur leur liste. Celui dont la liste est la plus longue est déclaré champion. On commence ensuite une autre partie: le joueur à la gauche de celui qui a annoncé la première catégorie se voit alors accorder le privilège de choisir un nouveau thème.

25 février

Je vais au cirque

À la condition de ne pas avoir comme prénom Zoé, Yves ou William, ce jeu devrait susciter l'intérêt des petits comme des grands. Un premier joueur, désigné au hasard, débute la partie en affirmant: «Je vais au cirque et je vois...», puis, obligatoirement, il doit nommer une personne, un animal ou un objet qui s'y rapporte, mais attention... pas n'importe lequel... ce qu'il va énoncer devra nécessairement débuter par la première lettre de son prénom. Par exemple, si l'enfant s'appelle Andréanne, elle pourrait affirmer: «Je vais au cirque et je vois un acrobate!». Son voisin de gauche, disons David, devra immédiatement enchaîner avec: «Je vais au cirque et je vois un dompteur», et ainsi de suite. Si un joueur hésite plus de 10 secondes, répète un mot déjà nommé ou nomme une chose que les autres joueurs considèrent inappropriée au monde du cirque, il est automatiquement éliminé.

Variantes: «Je vais au théâtre...», «Je vais à l'école...», «Je vais au zoo...», et ainsi de suite.

26 février

Les oranges-outangs

Pour s'amuser ferme à ce jeu, un groupe d'au moins six participants est requis… ainsi que deux oranges! Séparez le groupe en deux équipes dotées chacune d'un capitaine derrière lequel les autres joueurs prennent place. Chacun des capitaines doit mettre une orange sous son menton en penchant légèrement la tête pour la maintenir en place, après quoi il doit croiser ses deux mains derrière son dos. Au signal donné, les capitaines doivent refiler l'orange au joueur placé derrière eux, qui doit parvenir à la prendre et à la faire tenir sous son menton sans l'aide de ses mains. Dès qu'il y parvient, il la refile au coéquipier suivant et ainsi de suite jusqu'au dernier joueur de la file. N'oubliez pas: chaque fois qu'un joueur laisse tomber l'orange, son équipe doit recommencer du début! L'équipe qui termine en premier ce tour de force se voit accorder le droit de lancer le traditionnel cri de victoire des oranges-outangs: se frapper la poitrine des deux poings en criant: «Houba-houba»!

27 février

Hockey sur table

Pour pratiquer ce jeu, nul besoin d'un millier d'accessoires! Un simple sou ou un petit bouton suffit! Les joueurs doivent s'asseoir face à face, en s'installant à chacune des extrémités d'une table. Le but du jeu? Réussir à faire rentrer le sou dans le but adverse en trois coups seulement. Pour créer le but, l'adversaire ferme ses deux poings en mettant ses mains côte à côte, à la hauteur de la table, où il n'appuiera que ses deux auriculaires, On obtient alors une sorte de large «U» dans lequel il faut parvenir à faire rentrer le sou. On fait avancer le sou grâce à de petites pichenettes (données à l'aide du pouce et de l'index), la troisième devant constituer le tir au but. Après trois pichenettes, que l'on ait réussi ou non son tir au but, on inverse les rôles. Chaque tir réussi vaut un point. Après trois manches de jeu, on fait le compte des points pour déterminer qui a remporté la coupe Stanley!

28 février

Pièce instrumentale

Voici une activité amusante susceptible de développer, chez votre enfant, à la fois le sens de l'écoute et du rythme. On peut y jouer à deux ou à plusieurs. Le procédé est des plus simples. Il consiste à tambouriner du bout des doigts ou des ongles sur une surface dure en suivant le rythme d'un air connu... que votre enfant — et ses copains s'il y a lieu — devront reconnaître. Le premier qui trouve le titre de la chanson vient alors prendre la place du musicien.

Variante: Plutôt que de tambouriner avec les doigts, on peut frapper une cuillère sur le dessus d'une boîte de conserve, taper dans ses mains, etc.

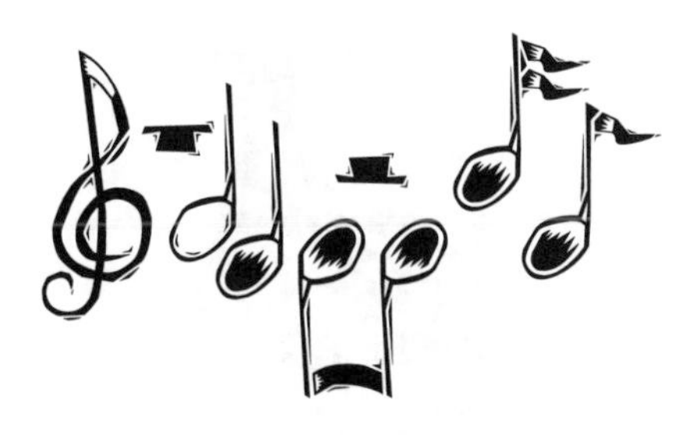

1er mars

Les œufs de Pâques

La fête de Pâques approche? Il est donc temps d'initier votre enfant à la traditionnelle décoration des œufs. En premier lieu, il faut percer les deux extrémités de l'œuf à l'aide d'une aiguille à laine ou d'un petit clou sur lequel on frappe délicatement en utilisant, par exemple, le revers d'un couteau. Installez-vous ensuite au-dessus d'une assiette creuse ou d'un bol et soufflez dans l'un des trous pour faire sortir le contenu de l'œuf de sa coquille. Dès lors, la coquille peut être décorée de motifs divers réalisés avec des crayons-feutres ou de la gouache de différentes couleurs. Enfin, on dépose ses superbes œufs de Pâques dans un petit panier en osier ou en papier cartonné (à réaliser soi-même) garni de fausse paille, le tout pouvant servir de joli centre de table.

2 mars

Bonne chasse, mon coco!

Pour les enfants, la fête de Pâques sans chasse au trésor, c'est comme un Noël sans sapin: tout simplement impensable! Pour organiser une chasse des plus réussies, vous devez vous procurer — selon le nombre d'enfants habitant à la maison — une à deux douzaines de petits œufs en chocolat (une fois n'est pas coutume!) emballés individuellement ainsi qu'une surprise chocolatée de grosseur moyenne (en prévoir une pour chacun de vos enfants). La veille du dimanche de Pâques, dès que la marmaille est endormie, cachez les petits œufs dans les diverses pièces de la maison et ce, aux endroits les plus incongrus: dans un landau de poupée, sous l'oreiller de votre enfant, dans l'une de ses pantoufles, derrière le coussin du fauteuil, etc. Puis, déposez un panier en osier (muni d'une anse) dans la chambre de votre enfant, accompagné d'un petit mot ou d'un dessin de Coco Lapin! Le lendemain matin, invitez-le à la chasse aux cocos. Lorsqu'il est parvenu à récolter sa douzaine d'œufs, offrez-lui sa surprise supplémentaire!

Variante: Si votre enfant n'aime pas le goût du chocolat (eh oui, c'est possible!) ou si vous préférez lui offrir d'autres aliments, procurez-vous, à peu de frais, des petits œufs de plastique colorés qui peuvent s'ouvrir en deux. Mettez-y des raisins secs, des noix ou des céréales sèches et dissimulez-en partout!

3 mars

Mon arbre généalogique

Proposez tout d'abord à votre enfant de mener une petite enquête auprès de ses grands-parents afin de pouvoir réaliser par la suite son arbre généalogique. Selon l'âge de l'enfant, il pourra amasser des photos ou encore noter par écrit tous les renseignements nécessaires: noms de ses grands-parents et arrière-grands-parents, oncles et tantes, grands-oncles et grands-tantes, dates de naissance et de décès, etc. Ensuite, donnez-lui un grand morceau de papier et demandez-lui d'y tracer un arbre aux nombreuses ramifications où il pourra, au choix, dessiner les membres de sa famille et ses aïeux (en s'inspirant des photos amassées), ou, s'il est plus âgé, tout simplement noter de sa plus belle écriture les informations pertinentes. Une fois l'œuvre terminée et signée, exposez-la bien en vue.

4 mars

Zapping

C'est bien connu, la télévision ne favorise guère le développement de l'imagination chez les enfants car elle encourage plutôt les comportements passifs. Avec le jeu du zapping, pas question cette fois de demeurer inactif! Procurez-vous une grande boîte de carton épais (genre emballage de gros appareil ménager) et découpez-y une forme rectangulaire sur l'une des faces de manière à représenter l'écran d'un téléviseur. Installez les autres faces cartonnées de la boîte de façon à créer un espace dans lequel votre enfant (et un de ses copains s'il y a lieu) pourra s'installer et de manière à ce que son visage et une partie de son torse puissent paraître «à l'écran».

Les jeux: En premier lieu, demandez à votre enfant de prendre sa gouache ou ses crayons-feutres afin de décorer son nouveau téléviseur: boutons de contrôle du volume, magnétoscope intégré, antenne, etc. Puis, suggérez-lui de préparer au moins trois émissions: 1) une interview avec vous ou l'un de ses copains sur n'importe quel sujet au choix; 2) une critique de film ou de livre dans le cadre d'une chronique culturelle; et 3) un minireportage. Ajoutez à cela la préparation d'un ou plusieurs messages publicitaires, qui peuvent être loufoques ou plus sérieux, récités ou chantés, etc. Voilà, la séance télé peut commencer! N'oubliez pas de prévoir une télécommande: si une émission ou une pub vous ennuie, vous pouvez zapper librement et l'animateur devra alors «improviser» (séquence de pub, extrait de film, etc.) durant une ou deux minutes... Place à l'imagination avec la télé maison!

5 mars

À vos fesses! Prêts? Partez!

Invitez les athlètes à s'asseoir par terre, jambes allongées, de manière à former une belle rangée. À l'instar des maillons d'une chaîne, demandez-leur de s'accrocher les uns aux autres en entrecroisant leurs bras. En repliant légèrement les jambes et en effectuant des petits mouvements du bassin, la chaîne devra se diriger vers l'avant jusqu'à un point donné, puis reculer pour le retour. Une belle équipée loufoque en perspective!

6 mars

Du plus petit au plus grand

Énlevez dans un paquet de 52 cartes tous les trèfles et les piques par exemple. Vous les partagez (une pile avec les trèfles et une autre avec les piques) et vous mélangez bien chacun des paquets. Ensuite, chaque joueur, muni de son paquet, doit, au signal donné, tenter le plus vite possible de reconstituer sa série de cartes dans l'ordre chronologique en partant de l'as (qui compte pour 1) jusqu'au roi (valeur de 13). Le vainqueur est le premier à avoir terminé. Bref, ce jeu, en exigeant de classer du plus petit au plus grand, tout cela le plus rapidement possible, permet d'initier votre enfant à des notions mathématiques élémentaires.

Variantes: On peut accroître le degré de difficulté en attribuant à chaque joueur deux séries de cartes à reconstituer (pique et cœur pour l'un, carreau et trèfle pour l'autre), ou bien, encore plus difficile, associer une couleur à chaque joueur (toutes les noires pour l'un, toutes les rouges pour l'autre).

7 mars

Quel pif!

Ah! le merveilleux monde des odeurs. Le parfum des roses et l'arôme du gingembre! Le doux fumet que dégagent de bons petits plats mijotés! L'odeur particulière de la gouache, des crayons-feutres ou d'un vieux livre aux pages jaunies! Voici un jeu qui vous permettra de mettre à l'épreuve votre enfant en testant ses capacités olfactives! Prenez quatre ou cinq assiettes de carton et placez-y divers objets, aliments ou épices à l'odeur subtile ou prononcée. Présentez les assiettes à votre enfant, une à la fois, en prenant soin d'en identifier le contenu et en lui enjoignant d'ouvrir bien grand ses narines! Une fois que le contenu des assiettes a été soumis à son pif, bandez-lui les yeux et répétez l'expérience en lui demandant, cette fois, de deviner ce qui passe sous son nez! Débutez par des odeurs prononcées faciles à distinguer les unes des autres et passez ensuite à des fragrances plus proches: une orange et un citron, de la cannelle et de la muscade, du lilas et de la lavande, etc. Ne riez pas trop des erreurs qui pourront être commises... votre tour viendra bientôt!

8 mars

Femmes célèbres

Aujourd'hui, c'est la Journée internationale de la femme! Profitez de cette occasion pour proposer à votre enfant de faire une petite recherche sur une femme célèbre, qu'elle soit contemporaine ou qu'elle ait vécu il y a plusieurs siècles. Il aura évidemment l'embarras du choix: Cléopâtre, Marie Stuart, Jeanne d'Arc, George Sand, Simone de Beauvoir, Marie Curie, mère Teresa ou Céline Dion! Pour l'aider dans son enquête, puisez à même votre collection de revues, de magazines ou de livres, consultez le dictionnaire ou encore passez à la bibliothèque pour feuilleter une encyclopédie et emprunter quelques ouvrages. Vous pouvez ensuite suggérer à votre enfant de noter dans un cahier les faits saillants qui ont marqué la vie de la figure féminine choisie, en les illustrant à l'aide de coupures de journaux, de photos de magazine ou encore de dessins qu'il réalisera lui-même. Une autre manière de procéder? Suggérez à votre enfant de présenter trois ou quatre sketchs évoquant des moments clés de la biographie d'un personnage féminin, ceci à l'aide de différents costumes et accessoires. Voilà une activité qui non seulement initiera votre enfant aux principes de base de la recherche et de la création mais lui fournira aussi une occasion de prendre conscience de la diversité des modèles féminins ou de la contribution des femmes dans différents secteurs d'activité et à différentes périodes de l'histoire!

9 mars

Mots de tête

Réfléchissez à une liste de trois mots ayant un point commun. Ils peuvent débuter par la même lettre (lapin, losange, lune) ou la même syllabe (paravent, papillon, patate). Ils peuvent se terminer par le même son (ballon, bedon, grognon) ou encore être tous composés de syllabes doublées (bonbon, chouchou, papa). Le jeu, vous l'aurez deviné, consiste à lire cette liste à votre enfant et à lui demander de trouver la caractéristique que partagent ces trois mots. Une fois donnée la bonne réponse, il doit ajouter un mot à la liste, puis c'est à votre tour, et ainsi de suite, jusqu'à ce que l'un de vous soit à court d'inspiration!

10 mars

Place au théâtre

Vous aimeriez que votre enfant puisse s'initier au métier de metteur en scène ou d'acteur? Il existe, pour réaliser ce projet, des moyens simples et efficaces. Choisissez le cadre d'une porte et tendez-y une nappe ou un drap blanc. Puis, derrière, à trois mètres environ, braquez les feux d'un projecteur: une lampe sur pied que l'on oriente à sa guise, une grosse lampe de poche à large faisceau, etc. De l'autre côté de la toile, disposez des sièges pour les spectateurs conviés à ce théâtre d'ombres. Dès lors, il ne vous reste plus, avec l'aide de votre enfant et de deux ou trois de ses amis, qu'à imaginer une histoire et à créer des personnages qui se déplaceront entre la toile blanche et la lampe. Vous pouvez demander l'aide d'un bruiteur, d'un accessoiriste ou d'un musicien afin, pourquoi pas, de varier les rôles. Une fois la pièce terminée, les spectateurs deviennent acteurs ou techniciens alors que ces derniers sont invités à s'asseoir pour assister à la naissance d'une autre création tout à fait originale. Place à la magie et aux mystères, il n'y a pas de frein à l'imagination!

11 mars

C'est froid! C'est chaud!

Délimitez un espace donné: une pièce de la maison, l'arrière-cour, etc. Puis, montrez à votre enfant un objet de petite taille. Bandez-lui ensuite les yeux et dissimulez cet objet. Libérez la vue de votre enfant et donnez le signal de départ de la chasse à l'objet. Pour le mettre sur la piste, vous lui dites: «C'est froid», «C'est très froid», «C'est le pôle Nord!» selon qu'il est plutôt ou très éloigné de l'objet caché. Lorsqu'il s'en approche, les indices deviennent: «C'est tiède», «C'est chaud», «Ça brûle!». Une fois l'objet trouvé, inversez les rôles! Jouez autant de fois que vous le voulez!

12 mars

Alors, ça roule?

Voici un jeu qui n'a rien de compliqué mais qui exige de la vivacité d'esprit et de bons réflexes. Commencez par placer les enfants en demi-cercle autour de vous. Ensuite, vous devrez énumérer, lentement d'abord, puis de plus en plus rapidement, des noms d'animaux ou d'objets en affirmant, par exemple, qu'ils roulent: *camion roule, moto roule, voiture roule, éléphant roule, etc.* Si vous le désirez, vous pouvez aussi remplacer l'action de rouler par celle de voler (le jeu est alors désigné sous le nom de «pigeon vole»). Maintenant, en même temps que vous faites vos affirmations, vous levez le bras gauche et tous les enfants doivent vous imiter, sauf, bien sûr, si ce que vous dites est faux. Ainsi, si vous affirmez «*éléphant roule*» en levant le bras gauche, les enfants, pour leur part, devront garder leur bras le long de leur corps. Évidemment, tout joueur qui se laisse induire en erreur est automatiquement éliminé. Le dernier joueur en lice est déclaré vainqueur.

13 mars

Les mots dissimulés

Choisissez au hasard, dans un dictionnaire, un journal ou une revue, un mot d'au moins huit lettres. Tous les participants, munis d'une feuille de papier et d'un crayon, devront alors tenter de former d'autres mots en utilisant la totalité ou une partie seulement des lettres que le mot de départ contient. Supposons que le mot choisi est «*connaissance*». On pourrait y trouver, entre autres, les termes suivants: *naissance, sain, saine, sans, ose, connais, nonne, cane, accès, nain, naine, nains, naines*... On peut jouer de deux façons. Ou bien le gagnant est celui qui le premier a écrit 10 mots (Attention! les mots de deux lettres, les noms propres et... les mots inventés ne sont pas autorisés!) ou bien c'est celui qui, au bout d'un délai fixé à l'avance, a trouvé le plus grand nombre de mots. On compte alors les points comme ceci: mots de trois lettres (un point), de quatre ou cinq lettres (deux points) et de six lettres ou plus (trois points). Chaque fois qu'un joueur est parvenu à former un mot qui ne se retrouve dans aucune autre liste, il se voit attribuer un point supplémentaire. Voilà une occasion rêvée pour développer son vocabulaire et son sens de l'observation.

14 mars

Colin-maillard

Un vieux foulard ou une bande de tissu opaque, voilà tout ce dont vous avez besoin pour jouer à colin-maillard, à la condition bien sûr de disposer d'au moins cinq ou six volontaires. Les joueurs doivent former un cercle à l'intérieur duquel un autre joueur, désigné au hasard, devra prendre place. Le meneur de jeu — vous, par exemple — doit alors bander les yeux du joueur placé au centre, après quoi il faudra le faire tourner lentement sur lui-même au moins trois fois. Durant ce temps, les autres joueurs en profitent pour changer de place et même s'échanger quelques accessoires ou vêtements: casquette, lunettes, collier, veste, etc. Dès que les trois tours sont effectués, le meneur de jeu invite le joueur aux yeux bandés à mettre la main sur l'un de ses camarades et à deviner son nom simplement en tâtant sa figure et sa tête.

15 mars

Les bébés animaux

Voilà un petit jeu amusant et instructif que vous pourrez pratiquer partout avec votre enfant... et surtout dans n'importe quelle circonstance: durant un long trajet en voiture, en autobus ou en métro, pendant que l'on patiente à la clinique médicale ou chez le dentiste ou encore au cours d'une petite promenade à pied! Il s'agit, tout simplement, de prononcer un nom d'animal et de demander à votre enfant de trouver le nom du bébé correspondant. Quelques exemples:

Un lion?	Un lionceau!
Un chat?	Un chaton!
Une poule?	Un poussin!
Un chien?	Un chiot!
Un cheval?	Un poulain!
Un éléphant?	Un éléphanteau!
Une grenouille?	Un têtard!

Faites appel à vos propres connaissances pour allonger la liste autant qu'il vous plaira! Votre enfant appréciera également de vous mettre au défi... Vous pourrez alors lui suggérer de composer lui-même sa propre liste en consultant un dictionnaire ou des ouvrages sur les animaux!

16 mars

Au pied de la lettre

C'est un après-midi grisâtre et vous sentez que l'orage approche? Votre enfant tourne en rond et se lamente: «Je ne sais pas quoi faire»? Qu'à cela ne tienne, proposez-lui un jeu simple comme bonjour qui lui permettra de tromper son ennui. Demandez-lui d'énoncer un mot de trois lettres. Après quoi, vous devrez utiliser ce même mot pour en former un nouveau en n'y changeant qu'une seule lettre. Et ainsi de suite, à tour de rôle. Cela pourra donner une chaîne qui ressemblera à ceci: mot - sot - set - jet - net - née - nez... Chaque fois que l'on réussit à placer un mot, on récolte un point. Le joueur qui ne réussit pas à enchaîner après 30 secondes est soit pénalisé (il perd un point) soit éliminé. On peut jouer plusieurs fois jusqu'à ce qu'un joueur atteigne, par exemple, la marque de 25 points. Cette activité peut se pratiquer en duo, mais elle risque d'être plus animée et plus rigolote s'il y a plusieurs joueurs. On peut aussi décider d'utiliser des mots de quatre lettres ou plus.

N
J E T
T

17 mars

Histoires abracadabrantes

Depuis la nuit des temps, les enfants adorent se faire raconter des histoires. Toutefois, ils possèdent tout le talent nécessaire pour créer eux-mêmes le plus extravagant des contes! Vous en doutez? Vous n'avez qu'à distribuer aux participants une feuille de papier et un crayon. Chacun écrit en haut de sa page le début, assez court, d'une histoire quelconque qu'il a imaginée. Ensuite, il replie le papier sur une partie de son texte, de façon à n'en laisser voir que les trois ou quatre derniers mots, et passe sa feuille à son voisin de gauche. Celui-ci prend alors connaissance des trois ou quatre mots et improvise une suite à l'histoire en fonction de son inspiration. Il recouvre la quasi-totalité de son texte pour le refiler à son voisin. Lorsque les feuilles ont fait le tour complet de la table, on les déplie et on les lit à haute voix. Tout devient alors possible! Et l'on se retrouve avec des histoires extraordinaires, fruit d'une imagination créatrice... collective.

Variante: Si les enfants ne maîtrisent pas suffisamment l'écriture, faites-les asseoir en cercle et donnez le signal de départ en disant: «*Il était une fois*... une petite fille, un chien coquin ou un méchant géant... *qui vivait*... à la campagne, dans une forêt, etc.». Une fois l'entrée en matière effectuée, donnez la parole au joueur placé à votre gauche et invitez-le à continuer l'histoire — pendant environ une minute — avant de céder la place à son voisin, et ainsi de suite, jusqu'à ce que deux tours complets au moins aient été effectués.

18 mars

Oui, mon commandant!

Vous jouez le rôle d'un commandant de l'armée et vous êtes responsable d'une petite troupe de soldats que vous devez entraîner. Vous placez les enfants en face de vous, puis, comme tout bon commandant, vous donnez vos ordres en donnant vous-même l'exemple: «À mon commandement, debout!» — «À mon commandement, couchés!» — «À mon commandement, assis!» — «À mon commandement, tenez-vous sur une jambe» — «À mon commandement, tirez la langue!», etc. À l'instant même où il est prononcé, les enfants doivent exécuter l'ordre. Attention, pour rendre le jeu plus intéressant, essayez de semer le doute dans l'esprit de vos petits soldats en effectuant de temps à autre un mouvement différent de l'ordre donné. Par exemple: «À mon commandement, levez la jambe!» alors que vous tendez le bras. Tout joueur qui se laissera berner sera éliminé jusqu'à ce qu'il n'en reste plus qu'un, lequel sera alors promu commandant!

19 mars

Gribouillage

Deux feuilles de papier de couleur blanche, un crayon rouge, un crayon bleu et de l'imagination à revendre, c'est tout ce qu'il faut pour pratiquer ce jeu! Chaque joueur doit griffonner sur sa feuille un dessin informe — c'est-à-dire un gribouillage — en prenant soin de ne pas lever son crayon. On peut aussi décider de gribouiller au hasard les yeux fermés. Dès que les gribouillages sont terminés (le truc consiste à griffonner n'importe quoi de manière rapide et irréfléchie), les joueurs doivent échanger leurs feuilles. L'objectif? Utiliser le gribouillis de l'autre en l'intégrant dans un dessin plus formel à réaliser en l'espace de cinq minutes! Il est important que chaque joueur soit muni d'un crayon de couleur différente car ainsi on pourra distinguer le gribouillis du dessin imaginatif auquel il aura donné naissance.

20 mars

Le tableau ancien

Il pleut aujourd'hui? Qu'à cela ne tienne, on en profitera pour sortir palette et pinceaux afin de réaliser un chef-d'œuvre digne des fresques de Michel-Ange! Si vous avez des livres d'art à la maison, montrez quelques reproductions de tableaux anciens (du Moyen Âge ou de la Renaissance) à votre enfant. Puis, proposez-lui de réaliser une œuvre qui portera, elle aussi, les marques du temps. Pour réaliser ce projet, dénichez une planche de bois dont la surface, légèrement irrégulière, sera creusée de fines craquelures. Posez ensuite sur une table (préalablement recouverte de papier journal) un assortiment de pots de gouache de différentes couleurs à la texture assez épaisse. Pour inspirer l'artiste, disposez bien en évidence des fleurs coupées placées dans un vase ou encore une coupe débordant de fruits divers. Demandez alors à votre enfant de peindre directement sur la planche de bois. Une fois l'œuvre terminée et la peinture bien sèche, recouvrez le tout d'une fine couche de vernis mat. Les différentes craquelures vont alors ressurgir, procurant ainsi au tableau un beau cachet ancien qui le parera d'une valeur certaine aux yeux de tous! Prenez garde... le petit faussaire pourrait être tenté de le vendre à l'encan à un membre de la parenté!

21 mars

Un jardin miniature

Un grand contenant dont le fond sera percé de quelques trous, un plateau assorti, de la terre noire, du gravier et quelques plantes en pot, voilà tout ce qu'il faut à votre enfant pour créer un superbe jardin miniature. Voilà une activité qui soulignera à merveille l'arrivée du printemps! Disposez de vieux journaux sur la table et renversez-y les plantes en pot. Puis, garnissez de gravier le fond du contenant et remplissez-le d'une bonne quantité de terreau. Enfin, laissez le petit jardinier en herbe monter sa propre composition. Prenez soin cependant de lui expliquer qu'il faut bien étendre les racines des plantes et qu'il convient de laisser un espace suffisant entre elles en prévision de leur croissance future. Une fois qu'il aura terminé, vous pouvez lui suggérer d'inclure dans son arrangement quelques-uns des charmants coquillages ou des étranges cailloux qu'il a collectionnés durant l'été. Votre enfant aura bien sûr grand plaisir à créer son jardin miniature... En outre, il en retirera une grande satisfaction lorsqu'il sera en mesure de constater que ses plantes s'épanouissent et resplendissent de santé grâce aux soins réguliers qu'il leur apporte: nettoyage des feuilles, arrosage, ajout d'engrais, etc.

22 mars

Tu vois ce que je dis?

Vous êtes aux prises avec un mal de gorge ou une extinction de voix? Pas de problème! Profitez-en pour vous amuser avec votre enfant tout en laissant reposer vos cordes vocales. Pensez à une phrase et articulez-en bien chaque mot mais... de manière silencieuse! Au début, optez pour une phrase composée d'environ quatre à cinq mots et «parlez» lentement, en accentuant les mouvements de votre bouche de manière à ce que votre enfant puisse parvenir à lire sur vos lèvres. Après trois essais ou un délai de cinq minutes, inversez les rôles. Si vous être plusieurs à jouer, le premier qui réussit à entendre ce que vous ne dites pas ou à voir ce que vous dites est déclaré vainqueur. Il vient alors prendre la place du meneur de jeu muet.

23 mars

Le Jour des fous

Un vent de folie s'apprête à envahir votre univers... C'est le Jour des fous, où les princes deviennent de simples sujets et où le plus pauvre des paysans se transforme en seigneur! Vous l'aurez deviné, il s'agit, l'espace d'une heure ou aussi longtemps qu'il vous plaira, d'inverser les rôles avec votre enfant. Aujourd'hui, vous pourrez vous amuser tout votre soûl et peut-être même n'en faire qu'à votre tête mais en risquant de vous faire gronder tandis que votre enfant devra se confronter au métier de parent avec ses avantages et ses inconvénients! Si la famille est nombreuse, multipliez les échanges: entre papa et maman, entre frérot et sœurette, entre enfants et adultes, etc. C'est amusant, certes, mais c'est aussi instructif: tous les participants — en revêtant l'habit de l'autre et en se voyant imiter — pourront en tirer une leçon profitable!

24 mars

Le mot caché

Autant de crayons et de feuilles de papier qu'il y a de participants, voilà tout ce dont vous aurez besoin pour jouer au mot caché. Un joueur, désigné au hasard, pense à un mot et l'écrit ensuite sur un bout de papier en mélangeant toutes les lettres qui le composent. Il présente ensuite l'énigme aux autres joueurs, qui doivent tenter de reformer le mot original. Le premier qui y parvient deviendra à son tour le poseur d'énigmes. Évidemment, plus les enfants sont jeunes, plus les mots choisis doivent être simples et courts!

ENOBN ACEHNC !

25 mars

Bienvenue au resto!

L'heure du déjeuner ou du dîner arrive à grands pas. «Encore un repas à préparer!» soupirez-vous. Pourquoi ne pas transformer ce qui s'annonce être une corvée en une petite fête pour toute la famille? Imaginez avec votre enfant un décor ou une ambiance de restaurant qui soit chaleureux et sympathique. Demandez-lui de penser à un menu alléchant qu'il pourra afficher à l'entrée de la salle à manger. Ensuite, il aura pour tâches de concevoir un éclairage tamisé, d'introduire une musique appropriée, de s'assurer d'une table bien mise, etc. Votre enfant présentera ensuite le menu aux autres membres de la famille, qui joueront le rôle des clients, prendra leur commande à l'aide d'un bloc-notes et devra les servir. Voilà une façon intéressante et amusante de briser la routine. Surtout, que personne n'oublie le pourboire!

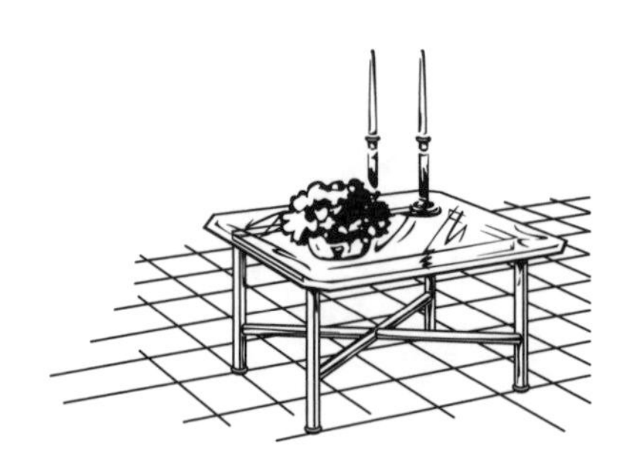

26 mars

Bon pied, bon œil

Vous êtes le meneur de jeu et les enfants sont assis en demi-cercle devant vous. Vous regardez un des joueurs et lui dites: «C'est mon oreille» en vous touchant le ventre. Celui que vous interpellez doit aussitôt répondre: «C'est mon ventre» en se touchant l'oreille. S'il répond correctement, vous vous adressez au joueur suivant et lui déclarez par exemple: «C'est mon pied» en vous touchant l'œil. Celui-ci doit répondre: «C'est mon œil» en se touchant le pied. Et ainsi de suite. Si un joueur interpellé se trompe, il prend alors votre place.

27 mars

Air, mer, terre

Voici un petit jeu qui exige que l'on fasse preuve d'une vivacité d'esprit peu commune. Installez vos marmots devant vous et munissez-vous d'un petit objet: ballon, chapeau, foulard... En prononçant «Air, mer, terre», puis l'un de ces trois termes seulement (ex.: «Mer»), vous lancez aussitôt l'objet à l'un des joueurs qui, aussi rapidement, doit citer le nom d'un animal vivant dans le milieu naturel que vous venez d'annoncer, et ce avant même d'attraper l'objet lancé. S'il ne peut prononcer un nom d'animal avant de recevoir l'objet, s'il commet une erreur, ou encore s'il répète un nom d'animal déjà prononcé par un autre joueur, il est aussitôt éliminé. Au terme «Air», on doit trouver le nom d'un oiseau ou d'un insecte ailé; au terme «Mer», celui d'un poisson ou d'un mammifère marin; et au terme «Terre», n'importe quel animal terrestre.

28 mars

Miam, miam, miam!

Voici un jeu qui peut provoquer des surprises et toutes sortes de réactions. Vous devez d'abord préparer plusieurs biscottes ou bouchées de pain, sur lesquelles vous appliquez, en petites quantités, divers ingrédients: sauce tomate, miel, fromage, confiture de fraises, sucre brun, moutarde... Ensuite, vous bandez les yeux à chacun des joueurs, qui, à tour de rôle, se verront proposer trois petits plats mystères. Celui qui aura réussi à identifier le plus grand nombre de produits ou ingrédients sera déclaré vainqueur... et aura droit à une bonne mousse au chocolat!

29 mars

Petit bonhomme deviendra grand

Vous n'avez besoin que d'un dé, de feuilles de papier et de crayons de couleur. Le but du jeu? Arriver tout simplement à dessiner un petit bonhomme. Le chiffre 1 du dé désigne la tête, le chiffre 2 le corps, le 3 le bras droit, le 4 le bras gauche, le 5 la jambe droite et le 6 la jambe gauche. Vous devinez où il faut en venir? Le premier joueur lance le dé. S'il obtient le chiffre 1, il peut alors dessiner la tête et relancer le dé afin d'obtenir le chiffre 2 qui lui permettra de dessiner le corps. Si, malheureusement, la chance ne lui sourit pas, il passera le dé à un autre joueur, qui à son tour devra absolument obtenir le chiffre 1 et ainsi de suite. Le premier joueur qui réussit à compléter son bonhomme est le grand gagnant. On peut, au choix, dessiner une maison: 1 = la structure, 2 = la porte, 3 = les fenêtres, 4 = les volets, 5 = la cheminée et 6 = l'allée.

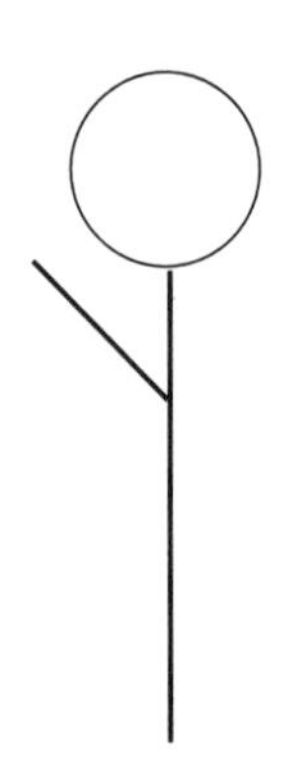

30 mars

Les catégories

Vous voulez vérifier et développer les connaissances générales de votre enfant tout en vous amusant? Alors, n'hésitez pas et jouez au jeu des catégories. Tous les participants reçoivent un crayon et une feuille de papier à diviser en tableau de six colonnes et six rangées. Dans la première case de la première colonne, on laisse un espace vide où l'on pourra noter, à la fin du match, le total des points accumulés. Puis, les cinq autres cases qui composent cette première colonne doivent se voir attribuer chacune le titre d'une catégorie générale, laquelle sera choisie à tour de rôle par les participants. Ainsi, on pourra obtenir: *Pays, Prénoms féminins, Animaux de la ferme, Vêtements, Fleurs*. Ensuite, chaque participant annonce une lettre de l'alphabet à inscrire dans la première rangée, après la case laissée vide. On obtiendra, par exemple: P, R, B, C, E. Le jeu consiste ensuite à trouver, pour chaque catégorie, un mot correspondant qui débutera par une des lettres prédéterminées. Ainsi, dans la rangée *Fleurs*, on trouvera pivoine, rose, bégonia, chrysanthème et... un espace blanc car aucun nom de fleur débutant par E ne nous sera venu à l'esprit! À l'inverse, pour la colonne P, on pourra écrire successivement: *Pologne, Patricia, poule, pantalon, pivoine*. Le but du jeu est évidemment de remplir le plus de cases possible! Lorsque le délai — fixé à cinq minutes — est écoulé, tous les participants déposent leurs crayons. Puis, chacun, à tour de rôle, lit ses mots à voix haute. Tout mot utilisé par deux joueurs (avoir la même idée, ça arrive!) est annulé. Toutefois, chaque mot original donne un point à son propriétaire. Enfin, on totalise les points de chacun pour désigner le grand gagnant. Selon l'âge des enfants, on pourra augmenter ou réduire le nombre de cases à remplir. À vos crayons. Prêts? Écrivez!

31 mars

L'horloge

Évidemment, pour jouer à l'horloge, il est préférable d'être 13: un joueur peut alors représenter les aiguilles tandis que les autres, rassemblés en cercle autour de lui, simuleront les chiffres de 1 à 12. Cependant, si vous êtes moins nombreux, cela ne devrait pas vous empêcher de pratiquer cette activité qui exige de bons réflexes et de l'adresse. Le joueur du milieu — cela pourrait être vous! — doit se munir d'une corde d'au moins trois mètres dont l'une des extrémités sera pourvue d'un gros nœud. Il commence alors à faire tourner la corde à environ 15 à 25 cm du sol (plus les enfants sont âgés, plus haut on peut faire tourner la corde). Dès lors, les joueurs représentant les chiffres de l'horloge se mettent à sauter sur place afin d'éviter d'être touchés par la corde. Quand un chiffre est fauché par l'aiguille, son heure a sonné! En d'autres termes, il est éliminé du jeu!

1er avril

Poissons d'avril

En ce jour où les histoires inventées de toutes pièces et autres petits tours pendables sont de rigueur, il convient d'initier votre enfant — si ce n'est déjà fait — à la fabrication des poissons d'avril. Pour réaliser ce projet, assurez-vous d'avoir sous la main du papier cartonné de toutes les couleurs, un assortiment de crayons, des ciseaux, de la colle non toxique, ainsi qu'une bande de velcro. Demandez à votre enfant de dessiner des poissons aux formes et aux dimensions les plus diverses. Après avoir découpé et colorié ces poissons, collez au revers de chacun d'entre eux un mince carré de velcro. Votre enfant peut alors partir en quête de victimes: membres de la famille, parents, voisins ou copains continueront de parader sans se douter que la brève accolade ou la petite tape dans le dos donnée par le coquin pêcheur les a chargés d'un invité surprise!

2 avril

La pêche miraculeuse

Une fois que votre enfant maîtrise la technique de fabrication des poissons d'avril (voir page précédente), il peut en créer quelques-uns — au moins 10 — afin de jouer à la pêche miraculeuse. Pour ce faire, il suffit de déposer les poissons dans un grand plat creux placé au centre de la table. Découpez ensuite le velcro de manière à ce que chaque participant puisse s'en enrouler une petite bande autour de l'index de la main droite. Puis, au signal donné, les joueurs (après avoir mis leur main gauche derrière leur dos) doivent tenter de pêcher, à l'index, le plus de poissons possible. Il faut pêcher les poissons un par un et étaler sa prise devant soi en vue du compte final. Lorsque le «lac» s'est vidé de ses poissons, le joueur qui a réalisé la pêche la plus miraculeuse est déclaré vainqueur!

3 avril

À bâbord toute!

Ce jeu permettra à votre enfant — ainsi qu'à vous-même! — de prendre davantage conscience de la manière dont fonctionnent le corps et le cerveau humains. Tous les petits riens, tous les petits gestes que l'on fait chaque jour, de façon anodine, du matin au soir, prendront tout à coup l'allure d'un véritable défi. Comment cela? C'est tout simple... Devenez tous gauchers (si l'un de vous l'est déjà, il doit alors devenir droitier!) l'espace d'une heure, d'un avant-midi, voire d'une journée, tout est permis!

Pour mettre un peu plus de piquant dans l'aventure, dressez une liste d'épreuves et sortez le chronomètre: ouvrir un bocal; se verser un verre d'eau; écrire son nom; éplucher et manger une orange; etc. Et pour des rires garantis, sortez vos palettes et vos couleurs pour dessiner un visage, un portrait en pied, une maison, une fleur, un arbre, bref, n'importe quoi qui vous paraît, à première vue, simple à réaliser... Non seulement l'expérience sera plus ardue que prévu, mais le résultat risque fort d'être rigolo!

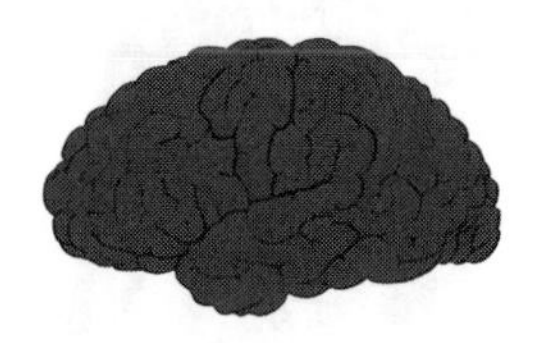

4 avril

Salut, l'artiste!

Votre enfant possède un surtout et peut-être même un petit béret? En outre, il réalise déjà, avec de la simple gouache, de vraies petites merveilles? Il est alors fin prêt pour la grande aventure de la peinture à l'huile. Il s'agit simplement de se procurer des toiles tendues sur des faux cadres ou encollées sur du carton, quelques pinceaux et des tubes de peinture à l'huile. Un assortiment des trois couleurs primaires suffit car toutes les autres couleurs peuvent être obtenues grâce à de savants mélanges. Révélez-lui, en effet, le secret des combinaisons qui permettent d'obtenir du vert (jaune + bleu), de l'orangé (jaune + rouge), du mauve (rouge + bleu) et du rose (rouge + blanc). Laissez ensuite aller l'imagination de votre enfant! Une fois son chef-d'œuvre terminé, recouvrez-le d'un vernis approprié. Vous pourrez ainsi conserver parfaitement les productions, aux couleurs éclatantes, de votre artiste en herbe.

5 avril

Apprivoiser la noirceur

Ce jeu doit se dérouler dans une pièce assez grande et dégagée. Il est important qu'elle soit dépourvue de fenêtre ou, alors, que de lourdes tentures ou un store opaque puissent l'obscurcir à souhait. Un joueur se voit attribuer le rôle du veilleur de nuit. Muni d'une lampe de poche, il se tient assis devant un mur qui devient le but à atteindre. Les autres joueurs (deux ou trois) sont alignés dos au mur d'en face et portent chacun un petit objet incassable (un verre de plastique, une balle de tennis, etc.) dans leurs mains. Leur mission? Atteindre l'autre mur et déposer leur objet à sa base tout en évitant d'être atteint par le rayon lumineux. Quant au garde, il doit veiller au grain en restant immobile, mais il peut allumer sa lampe à intervalles réguliers en visant un endroit précis durant quelques secondes seulement. S'il parvient à éclairer de son faisceau un joueur porteur de son objet, ce dernier est éliminé du jeu. Si le joueur est touché par le rayon alors qu'il a déjà déposé son objet contre le mur, sa mission est réussie! Attention, il n'est pas permis de lancer son objet vers le but. Le premier participant qui réussit à déjouer le veilleur de nuit, et ce selon les règles, est déclaré vainqueur!

6 avril

Que le spectacle commence!

Pour représenter, en trois dimensions, une sorte de théâtre miniature, une boîte en carton (de préférence rectangulaire et assez profonde) fera très bien l'affaire. La boîte doit être disposée l'ouverture sur le devant, et il importe de découper un petit cercle sur le dessus (de la largeur d'une lampe de poche) en vue de pouvoir éclairer la scène. Dès lors, les possibilités de représentation sont multiples: conte de Grimm, épisode historique, extrait de film, etc. Pour créer les personnages et les éléments du décor, il suffit de les découper dans du carton assez épais en créant des bases en forme de X légèrement creusées au milieu afin que le tout soit stable. Ensuite, disposez les diverses composantes de la scène de manière à créer un effet de perspective: une montagne, des petits sapins et des personnages minuscules à l'arrière-plan; des arbres un peu plus gros et une maison proportionnée au centre vers laquelle se dirige le petit Chaperon rouge et, enfin, au premier plan, un gros loup et de grands arbres! Utilisez toutes les techniques de dessin imaginables et décorez à l'aide de ficelles, tissu, emballages et matériaux de récupération. Cette minireconstitution théâtrale stimulera à coup sûr l'imagination de votre enfant, alimentant son plaisir de créer en volume, de décorer et de mettre en scène.

7 avril

Tic Tac Toe

Pour jouer au tic tac toe, vous n'avez besoin que d'une feuille de papier et d'un crayon, mais le plaisir est garanti! Il suffit de tracer quatre lignes sur une feuille, deux horizontales et deux verticales, de manière à former neuf cases. Un joueur se verra attribuer les X, l'autre les O. Le plus jeune joueur commence en traçant son symbole dans l'une des neuf cases. Puis, c'est au tour du joueur adverse de faire de même et ainsi de suite, jusqu'à ce qu'un des joueurs obtienne une rangée complète de trois symboles identiques. Il est possible de faire tic tac toe dans le sens vertical, horizontal et diagonal.

Attention! en cherchant à faire tic tac toe, assurez-vous de surveiller aussi les mouvements de votre adversaire. Une fois la première joute terminée, le perdant a l'avantage de jouer le premier. Jouez autant de fois que vous le désirez! Pour varier, vous pouvez décider que le gagnant sera le premier qui réussit à aligner trois symboles non identiques. Facile? Tentez le coup, vous verrez bien!

Enfin, pourquoi ne pas confectionner avec votre enfant un jeu de tic tac toe tout à fait original? Il suffit de prendre du carton de couleurs différentes et d'y découper six O et six X. Une autre feuille de carton, sur laquelle on aura préalablement tracé les quatre lignes, servira de planche de jeu. On peut ranger le tout dans une petite boîte et la garder à portée de la main...

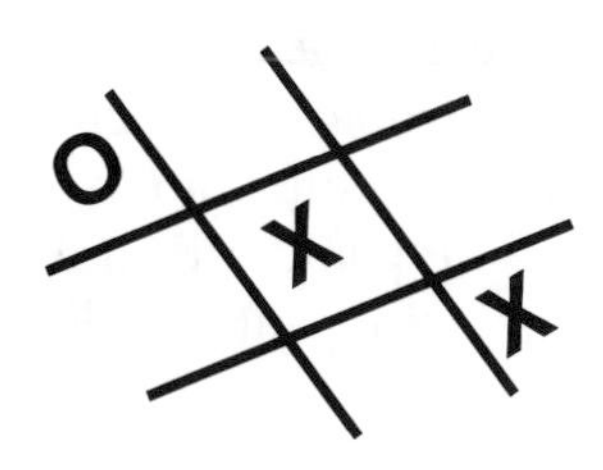

8 avril

Le mini-Goncourt

Votre enfant adore se faire raconter des histoires? Cette fois, inversez les rôles et faites appel à son imagination, à sa créativité! Proposez-lui de devenir non seulement le narrateur d'un conte, d'une épopée, d'une aventure ou d'un voyage fantastique... mais aussi l'auteur avec un grand «A»!

La *première étape* consiste à déterminer le personnage principal du livre: un animal? un petit garçon? une grand-mère? Les possibilités sont infinies! Une fois le personnage choisi, demandez à votre enfant d'en tracer les traits au crayon à mine sur une mince feuille de papier de couleur blanche et de le reproduire (dans différentes positions) autant de fois qu'il y aura de pages à son livre (cinq pages représentent un bon début). Coloriez ensuite le personnage à l'aide de crayons de bois ou de marqueurs. Pour la *seconde étape*, il s'agit de feuilleter votre collection de revues et de magazines afin d'y découper des objets, des animaux et des personnages secondaires, de même que des grandes illustrations représentant des paysages de la ville ou de la campagne. Chacun de ces paysages — à coller sur du papier cartonné — constituera une page du manuscrit. Enfin, la *troisième étape* exige que votre enfant construise son histoire en faisant évoluer son personnage dans les différents cadres (les paysages), au fil de diverses rencontres (animaux et personnages secondaires) ponctuées de surprises ou d'événements (objets).

Une fois les pages bien illustrées, il ne reste plus qu'à relier l'ouvrage en perforant trois trous sur le côté gauche et en y enfilant de petits rubans. Quant à la narration, vous avez l'embarras du choix: bulles comme dans les bandes dessinées, court texte à coller au bas de la page ou commentaires à voix haute, que l'on peut, au choix, enregistrer sur une cassette. Qui sait? Cette activité sera peut-être le prélude à une grande carrière littéraire dans la famille...

9 avril

Allô!... Allô?...

C'est le jeu du téléphone, un jeu qui ne date pas d'hier! Il faut être plusieurs, debout ou assis les uns derrière les autres. Le premier du groupe murmure un message — une phrase d'au moins cinq mots — à l'oreille de son voisin, qui, à son tour, le répète à l'oreille de son voisin, qui... ainsi de suite jusqu'au dernier destinataire, qui doit dire tout haut la phrase qu'il a comprise. Évidemment, on doit s'attendre à des surprises, parfois tordantes, quand on constate que le message de départ était pour le moins différent.

10 avril

Théâtre de marionnettes

Les enfants adorent généralement assister à des spectacles de marionnettes. Pourquoi ne pas leur montrer l'envers du décor en les conduisant à créer eux-mêmes leurs personnages, leur théâtre et bien sûr leurs histoires? Il suffit de quelques matériaux et d'un peu d'imagination!

Les marionnettes en cacahuètes: On coupe en deux les écales de cacahuètes de manière à pouvoir y introduire le bout des doigts. Ensuite, on utilise de la feutrine pour les vêtements et des brins de laine pour les cheveux, on dessine les yeux, le nez et la bouche à l'aide de marqueurs et on ajoute, au gré de notre fantaisie, quelques accessoires pour créer un pirate, une princesse, un Indien, un animal...

Les marionnettes-chaussettes: Une autre variante consiste à utiliser de vieilles chaussettes que le marionnettiste pourra enfiler sur ses mains. Des boutons pour les yeux, des brins de laine pour les cheveux, de la feutrine pour la bouche, des retailles de tissu pour les vêtements et le tour est joué!

Le théâtre: Pour un spectacle du plus bel effet, on peut recouvrir une table d'une nappe afin que le marionnettiste soit à l'abri des regards. Une autre option consiste à créer un paravent avec un grand carton épais percé d'une ouverture rectangulaire. On peut décorer ce théâtre avec de la gouache et utiliser un bout d'étoffe pour faire un rideau de scène qui se fermera sur les applaudissements d'un public en délire!

11 avril

L'affaire est dans le sac!

Les enfants sont curieux... par nature! C'est un de leurs nombreux modes d'apprentissage: «À quoi ça sert? Comment ça fonctionne? Pourquoi ceci ou cela?» Voilà un jeu qui suscitera leur curiosité tout en faisant appel à leur sens du toucher et à leur esprit d'observation.

Prenez un sac en tissu ou en plastique de format moyen (une taie d'oreiller convient aussi) en vous assurant cependant de son opacité (on ne doit pas voir au travers). Insérez dans ce sac divers objets de tailles et de textures différentes: une éponge, une cuillère, une pomme, une orange, une sélection de jouets, etc. Ensuite, demandez à votre enfant d'y plonger les mains, d'y choisir un objet (sans regarder bien sûr) et de l'identifier par simples tâtonnements (selon l'âge de votre enfant, vous pouvez lui fournir ou non des indices). Pour chaque annonce («C'est une pomme!») laissez-lui retirer l'objet et l'examiner. Recommencez l'expérience jusqu'à ce qu'il ne reste plus aucun objet dans le sac. Puis, inversez les rôles et demandez-lui de partir en quête de trouvailles. Dès lors, faites de votre mieux! Si plusieurs enfants participent au jeu, passez-leur le sac à tour de rôle; ils auront autant de plaisir à tenter d'identifier l'objet mystérieux qu'à regarder la mine perplexe de celui qui tâtonne à qui mieux mieux...

12 avril

Le jeu du pendu

Pour jouer au pendu, nul besoin d'un millier d'accessoires... Un crayon et du papier suffisent. Tout d'abord, on dessine une potence (un grand L inversé) sur une feuille de papier. Au bas de la feuille, on inscrit toutes les lettres de l'alphabet. Ensuite, le joueur qui assume le rôle du bourreau choisit un mot de six lettres ou plus que son adversaire devra deviner... sinon c'est la pendaison!

Déroulement du jeu: Le bourreau doit tracer juste au-dessus des lettres de l'alphabet autant de petits tirets que de lettres contenues dans le mot qu'il a préalablement choisi. L'autre joueur doit trouver les lettres de ce mot, une à la fois. Lorsque la lettre annoncée par ce joueur est contenue dans le mot, le bourreau l'inscrit sur le tiret approprié. Si le mot à deviner ne contient pas cette lettre, le bourreau doit la biffer de la liste et commencer à dessiner le corps du pendu. Pour chaque lettre inappropriée, on compose le corps du pendu en respectant l'ordre suivant: la tête, les yeux, le nez, la bouche, les oreilles, le torse, les bras, les mains, les jambes, les pieds. Si le mot est identifié avant que le dessin soit terminé, le bourreau a perdu et il cède alors la place à son adversaire. Dans le cas contraire, il garde son rôle. Amusez-vous bien, mais n'en perdez pas la tête!

Variante: Si votre enfant est trop jeune pour maîtriser l'écriture, pensez à un animal, dessinez-le sur un bout de papier et pliez-le avant de le dissimuler quelque part. Ensuite, demandez à votre enfant de deviner l'animal que vous avez dessiné. Vous pouvez lui donner un indice de départ: animal sauvage ou domestique, à plumes ou à poil, qui vole ou qui rampe, etc. Pour chaque mauvaise réponse, vous dessinez une partie du corps du pendu sans oublier de fournir à votre enfant un autre indice.

13 avril

Le travail à la chaîne

C'est une variante de la fameuse comptine «Trois petits chats, chapeau de paille, paillasson...» de notre enfance. Il s'agit, de la même façon, de former une chaîne ininterrompue de mots les plus divers en respectant toujours la règle de la syllabe finale. Par exemple, on lance le premier maillon de la chaîne de mots: «éléphant». L'adversaire doit immédiatement reprendre la dernière syllabe entendue pour former un mot nouveau, par exemple «fanfare», qui peut être suivi par «farine», puis «rhinocéros» et ainsi de suite, jusqu'à ce que l'épuisement gagne l'un ou l'autre des «lettrés» à la chaîne! On peut jouer plusieurs parties en attribuant un point chaque fois qu'un joueur a le dernier mot. Le vainqueur sera celui qui aura accumulé le plus de points après une manche de cinq parties! Allez, hop! Au travail!

14 avril

En avant la zizique!

Tous les enfants aiment chanter et danser. Alors, pourquoi ne pas leur faire fabriquer leurs propres instruments de musique? Ils pourront ensuite organiser un défilé, monter un spectacle de chant ou concevoir une chorégraphie et vous serez là pour les applaudir!

Les instruments

La harpe: Une boîte à chaussures, avec son couvercle, dans lequel on découpe une forme rectangulaire. On entoure le tout de quelques bandes élastiques de sorte que ces dernières passent au-dessus de l'ouverture. Il ne reste plus au musicien qu'à pincer les cordes!

Le tambourin: Prendre une assiette de carton dans laquelle on dépose une bonne quantité de riz blanc. Après avoir mis un peu de colle blanche sur les bords de l'assiette, on ajuste une seconde assiette de même dimension sur la première de manière à rendre le tout bien étanche. À décorer au gré de notre fantaisie.

Les maracas: Des contenants de plastique, avec bouchon ou couvercle, dans lesquels on aura préalablement inséré des billes ou des pois secs feront très bien l'affaire.

Les cymbales: Deux couvercles de casserole et le tour est joué!

Les gongs: Deux assiettes à tarte en aluminium percées d'un trou au milieu dans lequel on insère une ficelle que l'on accroche à un cintre. Un crayon à mine ou une baguette chinoise permettra de battre la mesure. Résultat? Une sonorité à tout casser!

15 avril

Collages surréalistes

Des ciseaux, de la colle, un peu d'imagination et un brin d'humour, c'est tout ce qu'il faut pour réaliser de superbes photomontages. Avec votre enfant, parcourez votre collection de magazines pour y découper des animaux, des personnages ou des objets les plus divers. Puis, demandez à votre petit collègue de dénicher une grande illustration représentant un paysage, urbain ou champêtre, réel ou imaginaire. C'est ce paysage qui servira de cadre pour y intégrer les personnages, animaux ou objets préalablement choisis. À partir de là, il s'agit, grâce à une étrange combinaison d'époques, de dimensions, d'éléments et de couleurs, de créer des scènes aux contrastes frappants. Ainsi, un personnage du Moyen Âge pourrait se retrouver dans une rue de New York, un éléphant rose pourrait brouter de l'herbe parmi un troupeau de vaches ou encore un pilote de Formule 1 pourrait lancer son bolide sur l'anneau de Saturne. Les surréalistes n'auront plus qu'à se retourner dans leurs tombes!

16 avril

Je vais au marché

Voilà un jeu qui fait appel à une faculté des plus importantes... la mémoire! Or, comme elle tend à se perdre en vieillissant, prenez garde! Vous risquez de vous faire battre à plates coutures par vos rejetons!

Déroulement du jeu: Les participants s'assoient autour d'une table, ou en cercle sur la pelouse si le jeu se pratique à l'extérieur. Le plus jeune joueur ouvre la partie en disant: «Je vais au marché et je mets dans mon petit panier...» et là il doit nommer un fruit, un légume ou tout autre aliment solide ou liquide. Le second joueur reprend la même phrase et ajoute un second aliment, et ainsi de suite. Au fur et à mesure que la partie avance, la liste s'allonge et le risque d'oublier un article s'accroît. Dès qu'un joueur commet une erreur, il est éliminé. Le dernier joueur à se remémorer la liste sans erreur est déclaré vainqueur.

Variante: «Je pars en voyage et j'emporte dans ma valise...». On nomme alors un objet et, en plus, on doit en mimer l'usage. Par exemple, «un maillot de bain» et le geste de nager, de la «crème solaire» et le geste de s'en enduire, etc. Il faut à la fois se souvenir des articles et des gestes qui les accompagnent... Bonne chance!

17 avril

Aveugle mais pas manchot!

Vous voulez faire naître des créations plus bizarres les unes que les autres? Sachez qu'un simple coup de crayon suffit! Fermez ou bandez les yeux de votre enfant et demandez-lui de dessiner un visage en portant attention à tous les détails: cils, sourcils, lèvres, dents, cheveux, oreilles... Le produit final risque d'être fort étonnant. Bien sûr, des variations sont possibles: un animal, un paysage, une maison et bien d'autres choses encore...

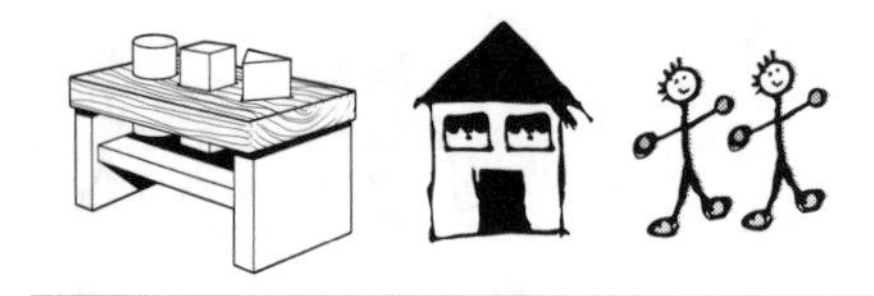

18 avril

Casse-tête

Il n'y a pas d'âge pour les casse-tête... Petits et grands y prennent en effet beaucoup de plaisir. On en trouve d'ailleurs de tout genre dans les boutiques de jouets, comptant de 60 à plus de 1 000 pièces, des modèles des plus classiques à ceux en 3 dimensions! Ce genre de produits se révèle des plus amusants, mais il peut être tout aussi intéressant, pour un enfant, de confectionner lui-même son propre casse-tête. Allez, petits et grands créateurs, à vos ciseaux!

Pour fabriquer soi-même son propre casse-tête, rien de plus simple! Avec votre enfant, jetez un coup d'œil sur de vieux magazines que vous ne désirez pas conserver. Choisissez ensemble une grande illustration (un paysage, un animal ou un personnage), découpez-la et collez-la sur un carton épais. Une fois que la colle a séché, retournez le carton. À l'aide d'un crayon, tracez sur cette face les diverses pièces du casse-tête. Il n'y a plus qu'à découper et le tour est joué!

Variante: Plutôt que de découper une image dans un magazine, demandez à votre enfant de faire lui-même son dessin sur un grand carton épais. Une fois le tout colorié, tracez au dos les contours des pièces du casse-tête et découpez-les.

19 avril

Hasta la pizza, mama!

« J'ai faim! J'ai faim!» de se lamenter votre enfant tandis que vous êtes soudainement en panne d'inspiration culinaire à l'approche du repas du midi? Faites d'une pierre deux coups en réalisant de petites pizzas rigolotes: leur confection contribuera à distraire votre enfant et le repas sera prêt en un rien de temps! Étendez une fine couche de sauce à pizza (en conserve ou prélevée dans votre réserve de sauce à la tomate) sur du pain pita ou de petits pains à hamburger. Ensuite, demandez à votre enfant de les décorer de manière à créer des visages souriants, tristes ou comiques. Quelques suggestions? Des moitiés d'olive pour les yeux, une lamelle de poivron pour la bouche, un petit champignon pour le nez, des rondelles de pepperoni pour les joues, du fromage râpé pour les cheveux, la moustache et la barbe! On met le tout au four traditionnel ou au four à micro-ondes — un bref instant seulement — et le tour est joué! Délicieux avec une petite salade verte et des crudités!

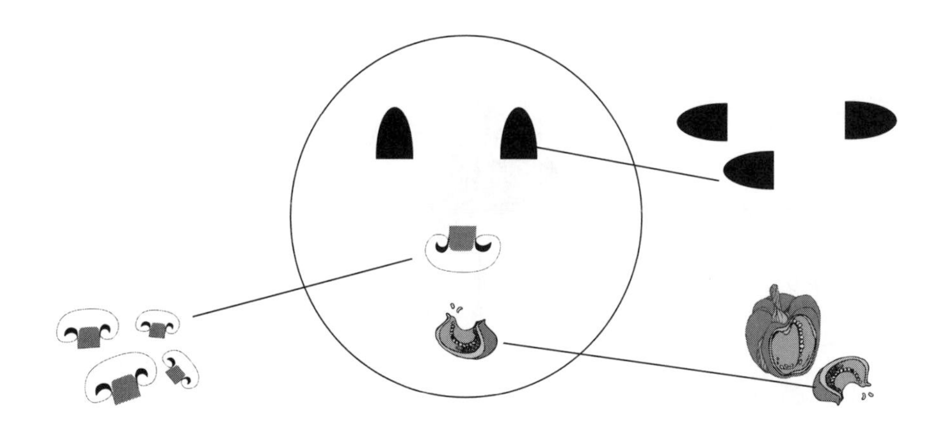

20 avril

Écoloquiz

Pour participer à ce jeu, il faut être vif d'esprit! Aux mots *végétal*, *minéral* ou *animal*, votre enfant devra, le plus vite possible, trouver un nom correspondant à la catégorie énoncée. Végétal: le nom d'une plante, d'un arbre, d'un fruit ou d'un légume. Minéral: le nom de n'importe quel objet non vivant, par exemple une roche, un diamant, un coquillage, un stylo-bille ou un téléviseur! Animal: le nom d'un oiseau, d'un poisson ou de n'importe quel animal terrestre. Voilà une activité que l'on peut pratiquer partout — dans la maison, au cours d'une promenade en forêt ou durant un trajet en train — et qui permettra à votre enfant d'exercer sa mémoire tout en développant son vocabulaire! Lorsque plusieurs enfants participent au jeu, ils doivent répondre à tour de rôle à la question lancée par le meneur. Si l'un d'entre eux commet une erreur ou répète un nom déjà énoncé par un autre joueur, il est éliminé. Le dernier en lice est déclaré vainqueur et prend la place du meneur du jeu.

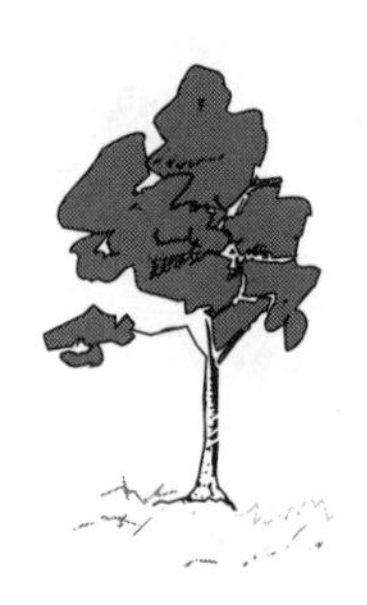

21 avril

Jeux de mains, jeux de vilains!

Vous voulez égayer un long voyage en voiture ou tromper un moment d'attente? Alors, ce jeu de symboles répondra à vos désirs. Deux joueurs se font face, une main derrière le dos. Au signal donné (un, deux, trois, go!), ils doivent brandir en même temps leur main, qui formera l'un des quatre symboles suivants au choix:

- la roche (poing fermé);
- le papier (main ouverte);
- les ciseaux (doigts repliés sauf l'index et le majeur);
- l'allumette (index tendu).

Chaque symbole a une chance ou deux sur trois de l'emporter:

- la roche écrase les ciseaux ou l'allumette;
- le papier enveloppe la roche;
- les ciseaux coupent l'allumette ou le papier;
- l'allumette brûle le papier.

À chaque victoire, on marque un point. Une manche peut se jouer en 5 ou 10 points.

22 avril

Un portrait loufoque

L'humour et l'imagination en action donnent parfois des résultats étonnants. Prenez une revue ou un magazine et choisissez avec votre enfant la photo d'une personne connue (vedette du cinéma ou de la télévision, chanteur de rock, politicien, etc.). Découpez-la et proposez à votre enfant de la transformer à l'aide de marqueurs de différentes couleurs. Au choix: grosses moustaches, sourcils épais, barbe, lunettes, nez de clown et accessoires divers. Bref, l'esprit créatif fera le reste et vous obtiendrez un portrait à la Picasso ou à la Dali.

Variante: Choisissez des photos de vous ainsi que de votre enfant et reproduisez-les, en format agrandi, à l'aide d'un photocopieur. Laissez ensuite votre enfant s'amuser à les transformer au gré de sa fantaisie!

23 avril

Ballon de Chine

Un jeu où adresse, réflexes et... patience sont au rendez-vous! Installez-vous dans une grande pièce en ayant soin de dégager un espace sans obstacles (tables, lampes, etc.). Dès lors, vous n'avez besoin que d'un ballon de baudruche (ballon très léger à gonfler soi-même) et de quelques paires de baguettes chinoises ou de bâtonnets minces et longs. Il s'agit de former un cercle assez grand et de passer, à l'aide des baguettes, le ballon à son voisin. Celui ou celle qui fait tomber le ballon est éliminé du jeu. Le grand vainqueur sera le plus habile de tous!

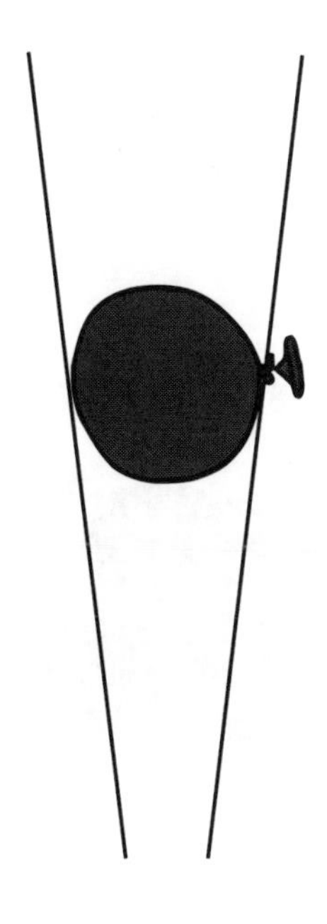

24 avril

Des pommes glacées

Quoi de plus délicieux que des pommes glacées? Vous verrez, les enfants y prendront vite goût! Ils risquent fort de les trouver encore plus délicieuses s'ils participent à la préparation de ces délicieuses collations.

Recette: Faites fondre un kilo (2,20 lb) de sucre, environ 200 ml (7 oz) d'eau et 45 ml (3 c. à soupe) de glucose dans une casserole à fond épais. Ensuite, préparez un verre d'eau froide, mettez-y à tremper une petite cuillère puis plongez-la dans le sucre caramélisé, puis de nouveau dans l'eau et ce jusqu'à ce que le sucre se casse et ne colle plus sous la dent. Vous ajoutez alors au mélange deux cuillerées de colorant alimentaire rouge. Demandez aux enfants de laver et d'équeuter les pommes avant de les piquer, à la place de la queue, avec des bâtonnets de bois. Enfin, plongez les pommes dans le sucre fondu et, après les avoir bien égouttées, faites glacer au réfrigérateur. Un vrai régal!

25 avril

Dring... dring!

Voilà une activité aussi amusante qu'éducative puisqu'elle permettra à votre enfant de découvrir une loi fondamentale de la nature, celle de la transmission du son! Pour réaliser cette expérience, il convient d'utiliser deux boîtes de conserve vides, ouvertes dans le haut, et de percer un petit trou au fond de chacune d'elles. Ensuite, il suffit de passer un fil métallique d'environ deux mètres dans les trous et de le fixer en faisant tout simplement un nœud aux deux extrémités. Demandez alors à votre enfant de prendre une des boîtes et de la porter à son oreille. Quant à vous, prenez l'autre boîte et placez-la devant votre bouche en vous tenant de manière à ce que le fil entre les deux extrémités du «téléphone» soit bien tendu. Vous pourrez alors chuchoter des mots doux à votre enfant et il les entendra distinctement car le fil transmettra très bien votre voix. Faites ensuite l'expérience inverse en demandant à votre enfant de parler dans l'appareil. Pour mieux lui faire comprendre le rôle joué par le fil métallique dans la transmission du son, demandez à votre enfant de se rapprocher de vous. Le fil sera immédiatement relâché et le son ne pourra plus voyager!

26 avril

Bzz... bzz... bzz!

Voici un jeu qui demande de l'adresse ainsi que de bons réflexes pour ne pas se laisser tromper. Les enfants doivent se placer en rang devant un «apiculteur» (un éleveur d'abeilles) qui tient dans ses mains un petit ballon. L'apiculteur doit l'envoyer à chacun des enfants, qui, après l'avoir attrapé puis le lui avoir relancé, doivent aussitôt refermer leurs deux mains, faisant ainsi semblant d'avoir capturé une abeille. Attention, les abeilles cherchent à retrouver leur maître: elles s'évadent dès que l'on rate le ballon ou dès que l'on ouvre les mains pour s'emparer... du vide, car l'astucieux apiculteur a simplement fait semblant d'effectuer un lancer! Après trois tours complets, l'apiculteur compte le nombre d'abeilles qu'il a réussi à faire revenir dans sa ruche, puis cède la place à un autre joueur. Une fois que tous les participants ont assumé le rôle de l'apiculteur, celui qui a attrapé le plus grand nombre d'abeilles est déclaré vainqueur.

27 avril

Création collective

C'est la technique du «cadavre exquis» — des mots que l'on pige au hasard afin de composer une œuvre aux évocations poétiques des plus inattendues — appliquée cette fois au dessin! Chaque joueur se voit attribuer un crayon et une grande feuille de papier. Tous les participants se mettent alors à dessiner une tête (d'animal, de monstre ou humaine) dans le haut de leur feuille en s'assurant de la faire reposer sur un cou, petit ou large, court ou long, etc. Après un certain laps de temps (deux ou trois minutes), chaque joueur replie sa feuille (de manière à cacher la tête tout en laissant voir la base du cou) et la passe à son voisin de droite. Cette fois, chacun doit dessiner le torse et les bras du personnage ainsi que le début des jambes. Au signal, on replie encore une fois la feuille (en ne laissant à découvert que le haut des jambes) et on la refile de nouveau au voisin, qui doit alors dessiner le bas du corps: cuisses, genoux, mollets, pattes palmées ou chaussures de clown. On passe ensuite au dévoilement des œuvres ainsi réalisées. De grands éclats de rire seront sûrement au rendez-vous!

28 avril

Trompe-l'œil

Tirez au sort le nom du héros de légende qui aura pour mission de franchir des obstacles les yeux bandés. Préparez avec lui un parcours des plus fous, semé de barrières diverses et d'épreuves multiples: passer sous une table sans la toucher, enjamber un seau rempli d'eau sans en renverser une goutte, contourner un sac d'école en évitant de le faire tomber, cheminer entre deux chaises, etc. Une fois qu'il a bien repéré son parcours, vous lui bandez les yeux et... lui demandez de s'exécuter. Il rencontrera sûrement certaines difficultés et ce, dès le départ. Alors, arrêtez-le très tôt et libérez sa vue. Dites-lui que vous lui accordez une seconde chance en lui expliquant bien que cette fois-ci il doit tout faire pour réussir! Rebandez-lui les yeux et conseillez-lui de se concentrer quelques secondes avant de commencer. Puis, donnez le signal et... silencieusement... enlevez chaque obstacle à mesure qu'il s'en approche, le tout avec l'aide des copains qui devront, en même temps, l'encourager à qui mieux mieux! Une fois qu'il croira avoir terminé le parcours, ôtez-lui son bandeau et laissez-le contempler le spectacle. Hilarité générale garantie!

29 avril

Ma rue en miniature

Il fait beau dehors? Profitez-en pour faire une petite promenade avec votre enfant en n'oubliant pas d'emporter un bloc-notes et un crayon. Demandez alors à votre enfant de faire un croquis représentant sa maison ainsi que les constructions voisines en notant certains détails (hauteur, largeur, nombre d'étages, type de fenêtres, couleur des portes, escaliers ou balcons). Une fois son croquis terminé, rentrez à la maison et partez à la chasse aux boîtes de carton. Des boîtes à chaussures, des cartons de lait, des boîtes de céréales et d'autres contenants de petit ou grand format devraient faire l'affaire. Des feuilles cartonnées de couleur, des crayons-feutres, des ciseaux et de la colle sont ensuite nécessaires pour décorer ces boîtes de manière à reproduire, en miniature, votre maison et celles de vos voisins. Le tout pourra être fixé sur un grand carton épais où votre enfant pourra dessiner les jardins et les cours appropriés. Enfin, de petites voitures métalliques ainsi que des minifigurines pourront compléter cette maquette avec laquelle il pourra s'amuser des heures durant.

30 avril

La chaise musicale

Munissez-vous d'une radio portative ou d'un magnétophone et choisissez une aire de jeu assez vaste et dégagée. Installez dos à dos ou en cercle autant de chaises qu'il y a de participants moins un (ex.: 10 joueurs = 9 chaises). Ne vous incluez pas dans le lot car vous serez le meneur de jeu. Il vous suffit, pour ce faire, de lancer la musique (radio ou cassette) et de demander aux enfants de trottiner autour des chaises. Dès qu'il vous plaira, baissez rapidement le volume de la radio ou enfoncez la touche «arrêt» de votre magnéto. À ce signal, chacun des joueurs devra tenter de s'asseoir. Le joueur qui n'aura pu le faire sera éliminé. Vous enlèverez alors une chaise et le jeu recommencera de la même manière jusqu'à ce qu'il ne reste plus qu'une seule chaise pour deux joueurs. Celui des deux qui réussira à s'asseoir sera déclaré vainqueur.

Variante: Plutôt que de faire jouer de la musique, demandez aux enfants de chanter un air connu. Munissez-vous d'un sifflet dont le son strident constituera le signal pour cesser de chanter et prendre les chaises d'assaut.

1er mai

Au boulot!

Aujourd'hui, c'est la fête des travailleurs du monde entier! En cette journée un peu spéciale, proposez à votre enfant de participer à un jeu de rôle. Il pourra, au choix, opter pour n'importe quel métier qu'il devra exercer durant 30 min ou 1 h... voire du matin au soir s'il se découvre une vraie passion! Vous pouvez également lui proposer d'exercer plus d'une profession au cours de la journée en lui offrant, bien sûr, d'être son assistant, son client ou son patron, comme il lui plaira!

Quelques suggestions:

- *Réparateur d'appareils électroménagers:* une chemise bleue ou verte à enfiler par-dessus les vêtements, une casquette, une petite boîte ou un sac dans lequel on dispose quelques outils de base (jouets de plastique ou petits outils sans danger selon l'âge de l'enfant) et voilà, l'inspection des appareils peut commencer!
- *Enseignant:* un tableau noir, une craie, un pupitre, des cahiers et des crayons... c'est tout ce qu'il faut à votre «prof» en herbe... Quant à vous, soyez un élève studieux ou au contraire légèrement dissipé, sans trop toutefois remettre en cause son autorité!
- *Cuisinier:* une toque blanche en carton, un tablier et quelques recettes faciles à préparer.
- *Botaniste:* un surtout blanc, un arrosoir, un linge, un peu d'engrais liquide, un bloc-notes et un crayon suffisent pour entamer la tournée des plantes en pot qui agrémentent votre intérieur!

2 mai

Stop!

Voici un jeu très apprécié des enfants, et ce depuis belle lurette! Un participant lance au-dessus de lui un gros ballon, tout en criant le nom d'un autre joueur. Aussitôt, tout le monde s'enfuit sauf, bien sûr, le joueur qui a été nommément désigné. Si ce dernier réussit à rattraper le ballon avant qu'il ne touche au sol, il le relance immédiatement en criant un autre nom. Dans le cas contraire, il court pour ramasser le ballon et ensuite crie: «Stop!» Chacun doit alors rester à sa place en demeurant parfaitement immobile. Le joueur qui a le ballon peut faire deux pas, choisir l'adversaire le plus proche et tenter de le toucher en lançant le ballon dans sa direction. S'il échoue, il doit recommencer toute la manœuvre, c'est-à-dire relancer le ballon haut dans les airs en criant un autre nom. Si au contraire il a réussi à toucher le joueur, ce dernier prend alors sa place.

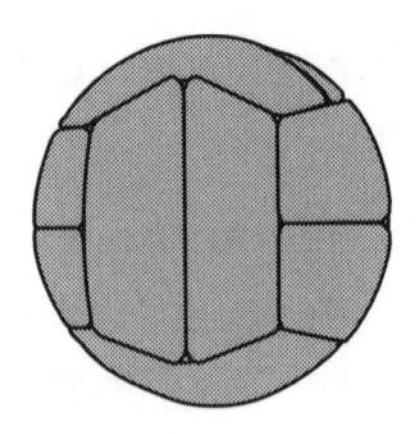

3 mai

La course costumée

Votre enfant et ses amis raffolent des déguisements? Qu'à cela ne tienne! Ils peuvent le faire tout en participant à une course des plus cocasses. Au signal donné, ils s'élancent vers une boîte ou un sac (un par concurrent) posé à une dizaine de mètres environ devant eux. Ils doivent alors revêtir le plus rapidement possible les habits et les accessoires les plus farfelus qui s'y trouvent, puis revenir en courant à leur point de départ. Assurez-vous de répartir de manière équitable les pièces des divers costumes que devront enfiler les participants. Prévoyez aussi un appareil photo car, une fois le vainqueur déterminé, le défilé est de rigueur. Essoufflant? Peut-être, mais au moins le rire est garanti pour tous les participants, petits et grands.

4 mai

Mille-pattes et... patatras!

Vous avez déjà rêvé de vous transformer en mille-pattes? Eh bien! prenez votre rêve pour la réalité! Il s'agit d'abord de former une file indienne. Ensuite, on s'accroupit les uns derrière les autres en se tenant par la taille. C'est alors que le mille-pattes peut s'élancer vers l'aventure, lentement dans un premier temps, puis de plus en plus vite, jusqu'à ce que... patatras! La catastrophe — qui ne rate jamais — entraînera des rires en cascade, soyez-en assuré! Un jeu à pratiquer sur des terrains souples, que ce soit à l'intérieur (moquette) ou à l'extérieur (pelouse ou sable). Souplesse, sens de l'équilibre et... de bons mollets sont les ingrédients nécessaires à la réussite de ce jeu, sans oublier la complicité d'au moins quatre ou cinq bipèdes, petits ou grands. Et s'ils sont beaucoup plus nombreux, on en profite pour organiser une course... Le premier mille-pattes à atteindre la ligne d'arrivée ou simplement à éviter le patatras est déclaré gagnant!

5 mai

Le foulard de poche

Ce jeu demande à la fois de l'agilité, de la ruse et... du souffle! Un espace dégagé, dans la maison ou en plein air, et des foulards ou des bandes de tissu, voilà tout ce qu'il vous faut! Les duellistes doivent s'affronter face à face, la main gauche dans le dos, tout en ayant un foulard inséré dans la poche arrière gauche de leur pantalon (ou simplement passé dans la ceinture du côté gauche). Ils doivent toutefois veiller à laisser dépasser un bon pan du foulard ou du tissu, soit une longueur d'environ 30 cm, tout en s'assurant que ce dernier glissera librement dès que l'on tirera dessus. Au signal donné (un, deux, trois, go!), les duellistes, avec leur main droite, doivent chercher à s'emparer du foulard de leur vis-à-vis tout en tentant d'empêcher que ce dernier réussisse à faire de même.

Attention: il est interdit de pousser ou d'immobiliser l'adversaire comme il est défendu de fixer ou de nouer le foulard de sorte qu'il oppose une résistance. Comme ce jeu est très souvent pratiqué par les scouts, l'esprit sportif est de rigueur! L'espace doit être délimité à l'avance et il n'est pas question de courir partout mais plutôt de bouger de manière circulaire en faisant des feintes pour déjouer l'adversaire. On peut jouer à deux ou à plusieurs. Dans ce cas, le gagnant de la première joute doit lancer un défi à un autre participant, qui prend alors la place du perdant. Si les participants sont très nombreux, on peut former deux équipes à la condition d'avoir des foulards pour tout le monde et de ne pas y tenir comme à la prunelle de ses yeux!

6 mai

Jeu de mime

Les participants se répartissent en deux équipes. Pendant ce temps, un meneur de jeu prépare une liste de 10 mots ou expressions plus ou moins difficiles à mimer. Chaque équipe, à tour de rôle, délègue un joueur auprès du meneur, qui lui glisse à l'oreille un mot ou une expression tirée de la liste. Le joueur délégué tente, en le mimant, de faire deviner le mot ou l'expression à ses coéquipiers. Si après trois minutes le mot ou l'expression n'a pas été deviné, c'est au tour de l'autre équipe de procéder, et ainsi de suite, jusqu'à ce que la liste du meneur de jeu soit épuisée. L'équipe gagnante est bien sûr celle qui a réussi à deviner le plus grand nombre de mots.

7 mai

Des taches mystérieuses

Vous désirez que l'on vous révèle le secret d'une méthode artistique qui permet d'obtenir de beaux résultats même si l'artiste en herbe n'est pas encore très habile? une technique qui stimule l'imagination et initie l'amateur aux mystères du mélange des couleurs entre elles? Eh bien, il suffit tout d'abord de se procurer de l'encre — qui fait des œuvres particulièrement belles — ou encore de la gouache. Puis, on fait une tache sur une feuille de papier appropriée au matériau utilisé et on la plie en deux. On répète le processus avec autant de couleurs que l'on désire et autant de fois qu'on le souhaite. À la fin, quelle surprise! On risque en effet de découvrir des formes étranges et attirantes qui peuvent être une source d'inspiration pour la poursuite de l'œuvre. Ainsi, des papillons fantastiques ou des masques grimaçants pourront être terminés (yeux, antennes...) au marqueur ou à l'encre noire. Bref, voilà un jeu de hasard qui permet de créer une production porteuse des rêves les plus fous!

8 mai

Protéger ses poussins

Une «poule» se place à la tête de ses «poussins» (trois ou plus) et tous les membres de la petite famille s'agrippent par la taille de manière à former une belle file indienne. Un «renard» affamé avance vers eux, bien déterminé à croquer au moins deux poussins. La poule tente alors de protéger sa couvée en la dirigeant de gauche à droite ou de l'avant vers l'arrière. Elle peut également essayer diverses feintes en dirigeant ses poussins à voix haute — «À droite!» — tandis que d'un mouvement du bassin elle les dirige plutôt vers la gauche. Enfin, elle peut bondir ailes déployées (c'est-à-dire bras écartés) pour bloquer les attaques du renard. Si celui-ci réussit néanmoins à toucher deux poussins, il devient poussin à son tour et va prendre place au bout de la file. Le premier poussin assume alors le rôle de la poule, qui, pour sa part, devient renard… et tout recommence!

9 mai

Élémentaire, cher Watson!

Munissez-vous d'une petite boule de pâte à modeler de n'importe quelle couleur. Délimitez ensuite un espace donné (une ou deux pièces de la maison). Bandez les yeux de votre enfant ou demandez-lui d'aller dans une autre pièce. Durant ce temps, choisissez un objet quelconque qui se trouve dans l'espace délimité et, à l'aide de la pâte à modeler, faites une empreinte de cet objet ou d'une partie en relief de cet objet. Une fois l'article choisi bien imprimé dans la pâte à modeler, appelez votre enfant et remettez-lui cet indice. Le détective en herbe devra, en observant bien autour de lui, trouver l'objet qui a servi de modèle. S'il réussit sa mission, inversez les rôles. Ce jeu est non seulement amusant, mais il permet d'aiguiser le sens de l'observation de tous, petits et grands!

10 mai

Balles et baguettes

Vous voulez exercer votre adresse autant que vos réflexes? Ce jeu vous conviendra parfaitement! De trois à quatre joueurs se mettent en position accroupie en formant un cercle. Au milieu du cercle, on a disposé une dizaine de baguettes. Chaque joueur lance une petite balle au-dessus de lui et, avant de la rattraper, doit ramasser une baguette. Le joueur qui rate son coup (balle manquée ou perte de baguette) est aussitôt éliminé. La partie se poursuit jusqu'à ce qu'il ne reste qu'un seul concurrent, déclaré alors vainqueur, ou jusqu'à ce que la réserve de baguettes soit épuisée. On procède alors au comptage des baguettes. Devinez qui a gagné?

11 mai

Les quatre coins

Voici un jeu qui fera sûrement appel à vos propres souvenirs d'enfance. On peut le pratiquer dans un parc, une ruelle, une cour d'école ou une clairière. S'il n'y a aucun arbre aux alentours, on peut tout simplement délimiter un carré fictif avec de la craie ou de gros cailloux. Quatre joueurs se postent aux quatre coins du carré, et un autre guette, au milieu, prêt à bondir tel un tigre. Après s'être fait un signe de reconnaissance, les quatre joueurs vont tenter de changer de coin et celui du milieu devra être plus rapide qu'au moins un d'entre eux afin de réussir à atteindre l'un des quatre coins. Le joueur qui a été devancé par le guetteur prend alors sa place au centre du carré.

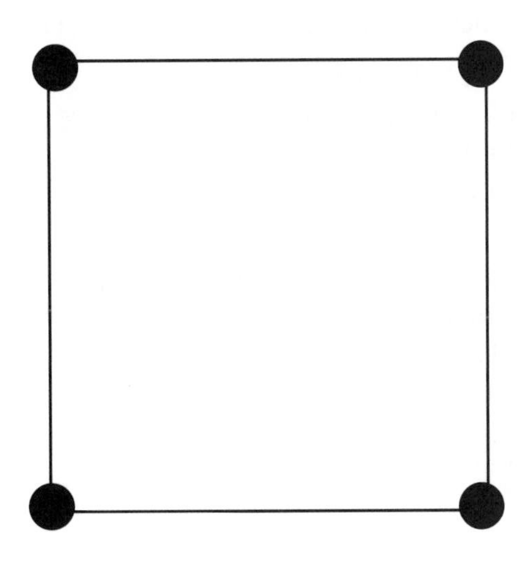

12 mai

L'anneau d'or

Ce jeu — qui était déjà en vogue à l'époque du roi Henri IV — peut se pratiquer encore de nos jours, sauf que ce ne sera plus à la cour mais plutôt dans la cour! Pour y jouer, il suffit de se munir d'une cordelette d'une longueur d'au moins cinq mètres sur laquelle on enfile une bague sans valeur ou un simple anneau de métal comme ceux dont on se sert en guise de porte-clés. On noue ensuite les extrémités de la cordelette de sorte que l'anneau puisse circuler librement sur toute la circonférence ainsi formée. Pour s'amuser ferme, un groupe d'au moins sept participants est requis. Tous les joueurs doivent former un cercle à l'intérieur duquel se trouvera un autre joueur, volontaire ou désigné au sort. À l'exception de ce joueur (qui doit rester immobile), tous les participants agrippent la cordelette et entament une ronde durant laquelle ils doivent faire glisser l'anneau d'une main à l'autre, d'un joueur à l'autre, en scandant une comptine connue de tous ou encore en chantant ce refrain sur l'air de *Frère Jacques:*

> «J'ai la bague, j'ai la bague!
> Non, c'est moi... Non, c'est moi!
> Est-elle dans ma main? Oui!
> Est-elle dans la tienne? Non!
> Devine donc! Devine donc!»

Dès lors, la ronde des joueurs prend fin, chacun devant refermer ses mains sur la cordelette bien tendue, un des participants dissimulant dans sa paume la bague ou l'anneau convoité. Le joueur du centre les observe alors à tour de rôle en tentant de deviner lequel d'entre eux détient l'anneau d'or. Que la réponse soit juste ou non, on désigne un autre joueur pour s'installer au centre et le jeu reprend!

13 mai

Bonds et rebonds

Voilà un jeu qui s'apparente au ping-pong... sauf qu'il n'exige ni table ni raquettes, mais plutôt une balle et un mur. Il s'agit simplement, en utilisant la paume de la main, de faire rebondir sur un mur une balle de tennis ou encore une petite balle en mousse légère. L'adversaire doit alors absolument rattraper la balle, soit directement, soit après un seul bond au sol, en la faisant rebondir de nouveau sur le mur, toujours avec la paume de la main. Ce jeu se pratique à deux bien sûr, mais si vous devez vous absenter quelques instants ou si vous désirez tout simplement reprendre votre souffle, rien n'empêche votre enfant de continuer à jouer seul! Vous pourrez alors compter le nombre de rebonds qu'il parvient à effectuer et l'applaudir chaudement lorsqu'il réussit à inscrire un nouveau record!

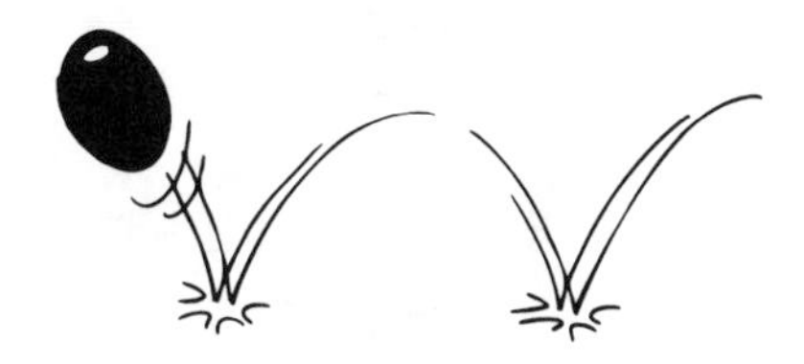

14 mai

Le chat et les souris

Un participant est désigné ou se porte volontaire pour tenir le rôle du «chat». Il se tient dès lors à l'écart des autres joueurs, qui vont devenir les «souris». Chacune des souris doit s'attribuer un numéro (de 1 à 5 s'il y a cinq joueurs, etc.) mais en le chuchotant tout bas de manière à ce que le chat ne se doute de rien. Une fois les numéros attribués, le chat est invité à se placer au centre du groupe des souris rassemblées en cercle. Le chat doit alors annoncer: «La chasse est ouverte! Je vais attraper la souris numéro...». Le porteur du numéro prononcé — une des souris — prend aussitôt ses jambes à son cou, poursuivi de près par le chat. Ce dernier, dès qu'il a capturé sa souris, doit la ramener sur son dos en marchant à quatre pattes. Il a donc intérêt à courir vite de sorte que le trajet à parcourir, au retour, soit le moins long possible. Une fois que la prise est ramenée, la souris devient chat à son tour. Voilà un jeu rigolo qui exige non seulement de bons réflexes et de bonnes jambes mais aussi de la force et de l'endurance.

15 mai

Bas les masques!

Tous les enfants adorent se déguiser en portant des masques. Bien sûr, on peut s'en procurer de tailles, de formes et de couleurs diverses dans les boutiques spécialisées. Toutefois, il y a fort à parier qu'ils préféreront les confectionner eux-mêmes en laissant libre cours à leur imagination.

La fabrication: Il s'agit tout simplement de dénicher des sacs solides (en papier brun) de différentes dimensions qui fourniront un excellent matériel de départ pour la réalisation de masques tout à fait originaux. Votre enfant doit commencer par enfiler le sac sur sa tête afin d'identifier les emplacements adéquats pour les yeux, le nez et la bouche. On peut dessiner des formes à ces emplacements puis les découper ou alors les peindre sans oublier de prévoir de petites ouvertures pour voir et respirer. Ensuite, place à la fantaisie! Verres de plastique, pailles multicolores, bouts de ficelle, brins de laine, boutons, boules d'ouate et bien d'autres choses encore peuvent servir à former cheveux, sourcils, barbe, cils, nez, etc. Enfin, gouache, pastels ou papiers collés permettront de réaliser la décoration finale.

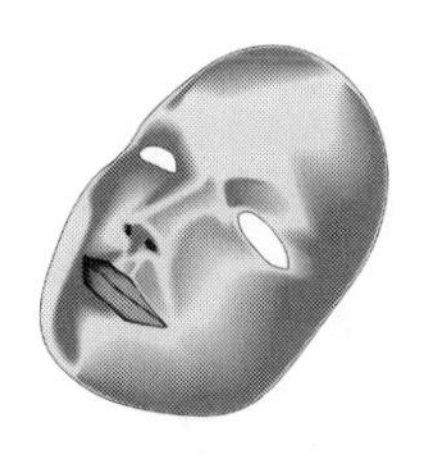

16 mai

Ni oui ni non

Un jeu de questions-réponses simple comme tout et amusant! Il suffit de poser des questions à son interlocuteur qui, lui, est obligé de fournir une réponse sans jamais prononcer les fatidiques «oui» ou «non». Dès que la victime flanche, on échange les rôles... Vous croyez que vous allez aimer? Oui? Non? Assurément!

Variante: Vous pouvez accroître le degré de difficulté en ajoutant à la liste d'autres mots tabous: par exemple, défense de dire «peut-être», «toujours» ou «jamais».

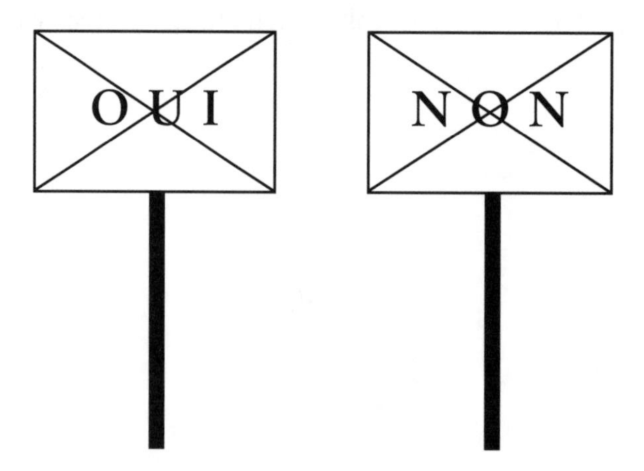

17 mai

La brouette

Deux enfants jouent respectivement le rôle de la brouette et celui du jardinier. L'enfant brouette met les mains au sol et tend les jambes. Quant à l'enfant jardinier, il saisit les jambes de l'enfant brouette, qui peut alors avancer en marchant sur les mains. Si seulement deux enfants participent au jeu, après avoir terminé un petit parcours, ils inversent les rôles. Si plusieurs enfants sont présents, place au défi! Organisez le groupe en tandems et donnez le signal du départ. La première équipe arrivée à destination est déclarée championne. On peut également prévoir un trajet aller-retour, le retour se faisant en inversant les rôles. Facile, dites-vous? Tentez le coup pour voir!

18 mai

Obéir aux ordres?

Il faut toujours réfléchir avant d'agir. Voici un jeu idéal pour mettre en pratique ce vieil adage. Un meneur de jeu, désigné au hasard, doit décliner différents ordres, à un rythme toujours plus rapide, en utilisant la formule: «Le maître a dit... levez-vous». L'assistance doit s'exécuter immédiatement. Si, toutefois, un ordre est énoncé sans la fameuse formule *Le maître a dit...*, par exemple: «Couchez-vous!», personne alors ne doit bouger d'un poil. En cas d'erreur, on est aussitôt éliminé. Le dernier joueur en lice pourra devenir à son tour le maître.

Exemple d'ordres que le maître peut lancer à ses esclaves:

- Tenez-vous sur une jambe!
- Faites une grimace!
- Pincez-vous le nez!
- Grattez-vous l'oreille!
- Mimez un singe!
- Mettez-vous à genoux!

19 mai

Frankenstein

Pour donner naissance à une créature tout à fait étrange, vous n'aurez besoin que d'un carton de couleur, d'une paire de ciseaux et d'un bâton de colle non toxique, sans oublier, bien sûr, votre inestimable collection de revues et de magazines. Le procédé est très simple! À l'instar du docteur Frankenstein — le savant fou imaginé par Mary Shelley —, votre enfant aura pour tâche de créer un personnage composite à partir de membres aux origines diverses. Les différentes parties du corps, obtenues à l'aide des illustrations figurant dans vos revues et magazines, devront être collées sur le carton de couleur de manière à engendrer un personnage absolument horrifiant ou tout bonnement rigolo. Un exemple? On découpe une tête de jeune fille que l'on colle au-dessus d'un torse velu; on y ajoute un bras recouvert d'une manche longue au délicat motif fleuri au bout duquel on appose une main gantée; de l'autre côté, une seconde manche est relevée sur un gros bras musclé pourvu d'une main aux doigts effilés et aux ongles vernis; quant aux jambes, l'une est athlétique et bronzée, l'autre est maigrichonne et d'un blanc laiteux; pour compléter le tout, évidemment, on prévoit une paire de souliers dépareillés! Vous verrez, le résultat sera absolument ahurissant!

20 mai

La métamorphose

Voilà un jeu qui fait appel au sens de l'observation de votre enfant ainsi qu'à sa mémoire. Le matériel requis? Votre temps, tout simplement! Demandez à votre enfant de bien vous examiner pendant quelques instants en tentant de noter mentalement tous les petits détails qu'il a sous les yeux. Puis, sortez de la pièce et changez quelque chose à votre coiffure, à votre habillement ou à vos accessoires: nouez vos cheveux, appliquez du rouge sur vos lèvres, parez-vous d'un collier, mettez vos lunettes, déboutonnez votre veston ou enlevez votre cravate, changez de chandail, etc. N'oubliez pas que plus votre enfant est âgé, plus subtiles devront être les transformations! Si vous n'êtes que deux à jouer, inversez les rôles! Si plusieurs enfants participent au jeu, assurez-vous que chacun puisse se métamorphoser au moins une fois!

21 mai

La fabrique de bijoux

Vous devez aller faire l'épicerie aujourd'hui? Profitez donc de cette occasion pour examiner plus attentivement le rayon des pâtes alimentaires. Choisissez-en quelques variétés usuelles (comme des macaronis) mais aussi d'autres aux formes plus originales: étoiles, tubes, coquillages, etc. Et puisque vous êtes sur place, pourquoi ne pas faire provision de divers tubes de colorant alimentaire? Une fois de retour à la maison, sortez vos ciseaux et une fine cordelette. Voilà tout le matériel requis afin que votre enfant puisse créer de superbes bijoux qu'il pourra porter à sa guise ou offrir en cadeau à des êtres chers. Pour devenir un véritable petit orfèvre, il n'a qu'à choisir différentes pâtes qu'il fera tremper dans du colorant alimentaire. Une fois les pâtes bien colorées, il n'aura plus qu'à les faire sécher et à les enfiler pour réaliser de magnifiques bracelets, colliers ou parures de cheville.

Variantes: On peut également coller un assortiment de pâtes sur deux vieilles barrettes afin de les rajeunir ou encore en apposer sur un carton épais au travers duquel on passera une épingle de sûreté afin de réaliser une broche tout à fait unique en son genre!

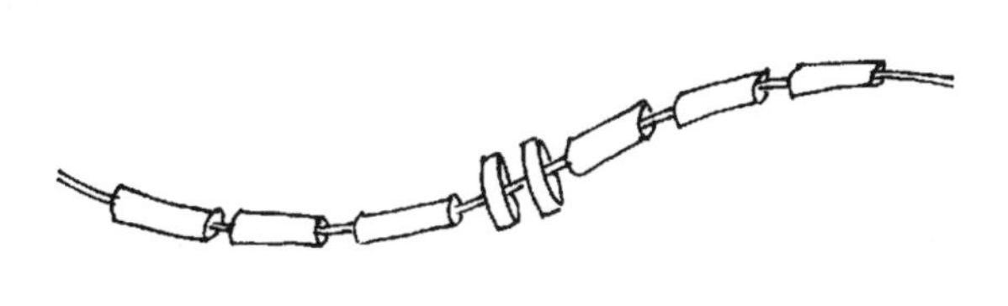

22 mai

Zéro de conduite

Votre enfant rêve depuis toujours de devenir pilote d'avion? chef de train? conducteur d'autobus scolaire? Exaucez ses désirs! En premier lieu, créez un tableau de bord digne de ce nom. Pour réaliser ce projet, dénichez une boîte de carton d'au moins 60 cm sur 30 cm. À l'aide d'une colle non toxique, fixez une série de boutons de contrôle sur le côté de la boîte qui fera face au pilote (utilisez des bouchons de plastique, des capsules de bouteille ou de gros boutons métalliques). Collez également deux petites assiettes de carton qui serviront d'indicateur d'altitude et de contrôle radar (avion) ou de volant et d'indicateur de vitesse (autobus, train): dessinez-y des aiguilles, des chiffres, etc. Sur le côté gauche de la boîte, installez un micro. Pour ce faire, percez un petit trou dans la boîte et passez-y une ficelle qui sera retenue en place par de multiples nœuds. Passez l'autre extrémité de la ficelle à l'intérieur d'un rouleau de papier de toilette vide et faites un nœud pour retenir le tout (laissez cependant une bonne longueur de ficelle afin que le pilote soit en mesure de porter le micro à sa bouche). Du côté droit, installez un levier de commande (avion), un bras de vitesse (autobus) ou un frein d'urgence (train) en utilisant un rouleau d'essuie-tout. Terminez en dessinant une série de cadrans sur le dessus de la boîte. Puis, disposez des chaises les unes derrière les autres: la première sera destinée au pilote, au chef de train ou au conducteur d'autobus (dotez-le d'une belle casquette et d'un veston de couleur noire!) tandis que les autres sièges accueilleront les passagers. Enfin, prévoyez de légères collations ainsi que du jus en boîte qu'un agent de bord ou un préposé pourra servir durant le trajet. Tout le monde est prêt pour le grand voyage?

23 mai

Le gardien de zoo

En premier lieu, les joueurs conviennent d'un parcours parsemé de divers obstacles: roche à contourner, arbre à toucher, objet à ramasser, etc. Puis, au moins trois participants, assis par terre, se choisissent chacun un nom d'animal avec l'aide du gardien de zoo qui doit arbitrer le jeu. Un dompteur entre en scène et propose, au hasard, des noms d'animaux. Le gardien de zoo répond par oui ou par non en fonction des noms choisis préalablement par les participants. Si c'est oui, l'animal en question s'élance, suit le parcours prédéterminé et retourne s'asseoir à sa place, poursuivi bien sûr par le dompteur qui fera tout pour l'attraper. S'il réussit à capturer l'animal en cavale, ce dernier deviendra dompteur à son tour. Dans le cas inverse, le dompteur demeure le même.

24 mai

Le tire-à-la-souque

Voilà un jeu très ancien mais toujours aussi amusant! Tout d'abord, munissez-vous d'une longue corde mesurant de 5 à 10 m environ. Puis, tracez une ligne sur le sol à l'aide d'une craie ou encore disposez un long ruban sur la pelouse et fichez-en les extrémités en terre à l'aide d'un piquet de tente. Formez deux équipes (comptant au moins deux ou trois joueurs) qui devront se placer de part et d'autre de la ligne de démarcation sur le sol. Demandez ensuite aux membres de chaque équipe de s'agripper aux extrémités de la corde de manière à ce que celle-ci soit bien tendue. Au signal donné, les enfants devront tirer la corde de toutes leurs forces (en tentant de reculer tous ensemble) de manière à entraîner le premier joueur de l'équipe adverse au-delà de la ligne tracée sur le sol. Il y a risque d'écroulement général, alors optez pour un terrain souple. Un… Deux… Trois! Allez! Souquez ferme!

25 mai

Ouvrir l'œil... et le bon!

Disposez sur une surface donnée (table, plateau ou plancher) une série d'objets disparates tels qu'un gros caillou, un livre, un crayon, un porte-monnaie, un bibelot... Laissez votre enfant observer la scène avec attention durant environ... une minute. Bandez-lui ensuite les yeux et enlevez un des fameux objets en le dissimulant ailleurs. Dégagez la vue de votre enfant et demandez-lui d'identifier l'objet disparu. Il est possible de rendre le jeu encore plus difficile en augmentant le nombre d'objets à enlever de la surface ou encore en ajoutant un ou plusieurs objets qui doivent alors être désignés par le joueur. Ce jeu est fort amusant mais il est aussi une excellente occasion d'entraîner votre enfant à observer, à mémoriser et à visualiser. Et pourquoi ne pas profiter de ce moment pour tester votre propre sens de l'observation? Inversez les rôles et vous constaterez que ce n'est pas si facile que ça en a l'air!

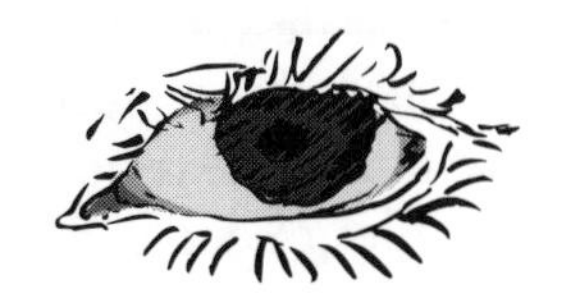

26 mai

La marelle

La plupart des cours d'école sont dotées de jeux de marelle, mais on peut pratiquer cette activité sur n'importe quelle surface asphaltée: trottoir, ruelle, allée, etc. À l'aide d'une craie, tracez un rectangle de 80 cm sur 60 cm et écrivez-y le mot *Terre*. Juste au-dessus, dessinez un chemin dallé composé de trois cases (40 cm sur 40 cm) numérotées de 1 à 3. Puis, continuez le parcours en dessinant un rectangle de 80 cm sur 40 cm que vous séparerez d'un trait de manière à former deux carrés égaux (cases 4 et 5). Répétez le tout de manière à obtenir encore trois cases les unes au-dessus des autres (6, 7 et 8) et deux carrés l'un à côté de l'autre (9 et 10). Enfin, ajoutez une dernière case (l'«Enfer») et couronnez le tout d'un grand demi-cercle: le Paradis!

Déroulement du jeu: Chaque joueur doit tout d'abord se munir d'un petit caillou plat. Puis, le premier joueur se place dans la case «Terre» et lance son caillou dans la case 1. S'il réussit, il doit sauter à cloche-pied jusqu'à cette case, ramasser son caillou et retourner sur la Terre. Il continue ainsi jusqu'à ce qu'il arrive à la case 10. Une fois l'aller-retour réussi jusqu'à cette case, le joueur doit viser le Paradis. En cas de succès, il s'y rend directement et recommence le parcours, en suivant les mêmes règles, mais en sens inverse, c'est-à-dire en partant du Ciel et en visant les cases de 10 à 1 jusqu'à atteindre la Terre. Attention! si un joueur rate son lancer (mauvaise case ou caillou tombé sur un trait), s'il pose les deux pieds par terre, s'il touche un trait de son pied ou encore s'il laisse tomber son caillou, il doit céder la place à un autre joueur; lorsque son tour reviendra, il pourra reprendre là où son trajet s'était arrêté. Cependant, si son caillou tombe en «Enfer», le joueur cède sa place et recommence à partir du début.

27 mai

Loup, as-tu faim?

Pour pratiquer cette activité, vous n'avez besoin d'aucun matériel sauf... une bonne réserve d'énergie! Pour que le jeu soit intéressant, il faut au moins pouvoir compter sur cinq joueurs, dont l'un, volontaire ou désigné au sort, tiendra le rôle du «Loup». Déterminez ensemble un endroit où les jeunes proies pourront être protégées du vilain prédateur. Délimitez ce territoire à l'aide d'une craie ou en utilisant des éléments de l'environnement: au-delà de la remise, devant le jardin, entre deux gros chênes, sur les dalles d'une allée, etc. Convenez ensuite d'une distance minimale à respecter en début de partie: par exemple, interdiction d'être à moins de quatre mètres de l'espace inaccessible au loup. Celui-ci doit alors tourner le dos aux autres joueurs, qui vont circuler derrière lui en posant, à tour de rôle, la question suivante: «Loup, es-tu là? Loup, as-tu faim?» Le Loup, sans jamais faire face à ses futures proies, répond alors de sa grosse voix menaçante: «Je mets mon chandail», ou: «Je chausse mes souliers», ou encore: «Je prends mon chapeau», et ainsi de suite, jusqu'à ce que tout à coup... il prononce le fatidique: «J'ai grand faim!». Tous les joueurs doivent alors prendre la fuite en direction de l'espace protégé. Le Loup, pour sa part, tente d'être plus rapide qu'au moins l'un d'eux. S'il réussit à saisir une proie (un simple toucher suffit), celle-ci devient Loup à son tour.

28 mai

La dolce vita

Il fait assez chaud aujourd'hui et vous n'avez guère envie de passer une heure à cuisiner en vue du repas du midi? Pourquoi ne pas en profiter pour vous la couler douce tout en vous amusant avec votre enfant? Imaginez tout simplement que vous vivez à Rome, à l'époque de César. Tous les membres de la famille sont dès lors invités à chausser des sandales, à se draper d'une toge romaine (un drap de lit, de couleur blanche, fera l'affaire) et à porter quelques bijoux (colliers, bracelets au poignet, chaînette de cheville, etc.). Puis, on dispose une série de gros coussins par terre qui entoureront une petite table basse recouverte d'une nappe. Il suffit ensuite de préparer des coupes débordantes de raisins, de poires et de pommes, un assortiment de viandes froides (tranches de jambon, de bologne, de salami) que l'on accompagne d'olives noires et vertes, d'une assiette de fromages et de petites miches de pain. On n'a plus qu'à déposer le tout sur la table basse, où figurera, bien en évidence, un gros pichet rempli de jus de raisin et autant de verres à vin qu'il y a de convives (pour les tout-petits, prévoir des verres de plastique avec couvercles dans lesquels une paille pourra être insérée). Chacun est ensuite invité à s'allonger sur les coussins et à se délecter tout comme on le faisait sous la République romaine, instaurée quelque 500 ans avant Jésus-Christ! Évidemment, à cette époque, les grandes familles disposaient d'esclaves. Vous pouvez, au choix, faire un tirage au sort afin de déterminer qui aura le «privilège» d'apporter les plats ou d'éventer les convives!

29 mai

Chat perché

Avec la pléthore de jeux qui existent dorénavant sur le marché, on a parfois tendance à oublier ces bonnes vieilles activités de plein air que nous avons pratiquées étant enfants et qui avaient aussi contribué à égayer les jeunes années de nos parents et de nos grands-parents. «Chat perché» en fait évidemment partie. Voilà qui devrait vous rafraîchir la mémoire. Pour débuter le jeu, placez les enfants côte à côte sur une même ligne imaginaire et donnez le signal du départ. Dès lors, ils devront courir en vue de se percher quelque part: sur une marche d'escalier, dans un arbre, sur une chaise ou un rocher, etc. Le dernier à y parvenir se verra attribuer le rôle du chat. Son objectif? Évidemment, réussir à attraper un oiseau. Or, il ne pourra le faire que si ce dernier n'est pas perché. Règle générale, les joueurs s'entendent pour ne pas rester perchés plus de trois secondes au même endroit. Ils conviennent également de défier le chat le plus souvent possible en s'en approchant et en le narguant avant de s'élancer vers un abri temporaire. Chaque fois qu'un oiseau est attrapé, il devient chat à son tour.

30 mai

Télépathie

La télépathie, on le sait, est un processus extrasensoriel qui rend possible la transmission de pensées entre deux personnes. Ne craignez rien, ce jeu ne va pas jusque-là, mais il exige tout de même qu'un joueur parvienne à deviner ce qu'il y a dans la tête de l'autre, sans que ce dernier le lui ait révélé précisément! Pour réussir cet exploit, il faut, à l'instar de la télépathie, faire preuve de concentration et exercer au maximum ses facultés mentales! Si vous n'êtes que deux à jouer, l'un d'entre vous doit penser à un animal et en écrire le nom sur un bout de papier qu'on dissimule ensuite quelque part (dans un tiroir, au fond d'une poche, etc.). Dès lors, notre adversaire devra poser diverses questions en vue de deviner de quel animal il s'agit. Attention! seules les questions auxquelles on peut répondre par oui ou par non sont autorisées. Pour parvenir à son but, le joueur pourra demander, par exemple: «Est-ce un animal vivant dans la jungle?», «Est-ce un animal féroce?», «Est-ce qu'il grimpe aux arbres?», «Est-ce un animal à fourrure?», etc. S'il croit avoir trouvé la bonne réponse, il annonce un nom d'animal. En cas d'erreur, il peut recommencer à poser des questions jusqu'à ce qu'il se sente prêt à faire un nouvel essai. S'il échoue encore, il est éliminé. L'autre joueur lui révèle alors le nom de l'animal (le bout de papier sert de preuve). On commence ensuite une nouvelle partie. Cependant, si le joueur a donné la bonne réponse, on inverse les rôles. Si plusieurs enfants participent au jeu, l'un d'entre eux quitte la pièce pendant que les autres s'entendent sur le nom de l'animal à deviner. Une fois ceci fait, le joueur revient dans la pièce et pose des questions auxquelles devra répondre, à tour de rôle, chacun des participants.

Variante: Le nom à deviner est celui d'un objet ou d'un personnage, réel ou fictif, historique ou contemporain.

31 mai

La statue

Parfois essoufflant mais toujours amusant, le jeu de la statue requiert au moins huit participants aussi habiles à courir qu'à rester parfaitement immobiles! Une fois les joueurs rassemblés sur un terrain assez dégagé, deux d'entre eux doivent se porter volontaires pour être les poursuivants. Chaque fois qu'ils réussiront à toucher un camarade, ce dernier devra s'arrêter immédiatement, se figeant sur place comme une statue. Si le joueur bouge d'un poil, il est automatiquement éliminé. Toutefois, s'il reste immobile et qu'un autre joueur qui n'a pas encore été statufié parvient à le toucher à un moment ou à un autre, il est délivré et peut repartir en cavale. On peut jouer jusqu'à ce que tous les joueurs soient éliminés ou statufiés, ou encore on décide de procéder au comptage des «victimes» après un délai fixé à l'avance et l'on forme une autre équipe de poursuivants. L'équipe gagnante sera celle qui aura réussi à statufier ou à éliminer le plus grand nombre de joueurs.

1er juin

Studio de photographie

Sélectionnez une photo en gros plan de votre enfant et proposez-lui de la coller — découpée ou non — dans un décor de son choix qu'il dessinera sur une feuille de papier cartonné de couleur. Son visage pourra ainsi se retrouver en plein milieu d'un soleil, au centre d'une marguerite ou encore sur l'écran d'un téléviseur! Il pourrait enjoliver le tout à l'aide de rosettes en papier de soie ou de pâtes alimentaires collées aux quatre coins de la feuille. Il n'y a plus ensuite qu'à percer trois trous dans le haut de la feuille et à y insérer une fine baguette en la laissant dépasser de quelques centimètres de chaque côté. En attachant une cordelette aux deux extrémités de cette baguette, vous pourrez accrocher l'œuvre au mur pour le plus grand plaisir de votre enfant!

2 juin

Quel poseur!

Deux joueurs, placés face à face, doivent s'affronter dans un duel d'endurance dont la pire des conséquences se révélera cependant mineure: vainqueur et vaincu seront aux prises, au pire, avec des picotements dans les jambes ou quelques membres engourdis! L'un des deux adversaires, désigné au sort, devra prendre une pose difficile à maintenir longtemps. Par exemple, se tenir debout en équilibre sur une seule jambe, faire le pont (pieds et mains au sol, dos arqué et ventre au soleil) ou se coucher sur le dos en gardant les jambes en l'air. L'autre duelliste doit immédiatement faire de même. Le vainqueur est celui qui réussit à garder la pose le plus longtemps possible, sans bouger d'un poil!

3 juin

Bizarreries

Sortez crayons de couleur et feuilles de papier car le temps est venu d'inventer des animaux aussi bizarres qu'étranges! Écrivez sur des bouts de papier six noms d'animaux et six noms d'objets que vous mettrez dans deux contenants distincts. Ensuite, tirez un billet de chacun des contenants, à tour de rôle, jusqu'à ce que votre enfant et vous soyez en possession de trois noms d'animaux et de trois noms d'objets. Chaque joueur doit alors dessiner un animal à partir des noms en sa possession. Cela pourra donner, par exemple, une tête de chien posée sur un corps d'éléphant qui sera doté de la queue en tire-bouchon d'un cochon. Quatre fourchettes en guise de pattes, des yeux en boutons et une pipe au bec seront ensuite ajoutés. Enfin, au choix, d'autres détails pourront compléter le dessin. Puis, on trouve un titre à l'œuvre ainsi réalisée: «Médor à la pipe perdu dans la jungle!» Les deux participants échangent ensuite leurs dessins, dont l'examen déclenchera, à coup sûr, l'hilarité générale.

4 juin

Au voleur!

Voilà un jeu qui nécessite la présence d'au moins cinq ou six enfants qui ne craignent pas de dépenser un peu d'énergie. Dans un premier temps, partez en quête de divers petits objets: un gobelet de plastique, un nœud papillon, un porte-clés, une pantoufle, etc. Prévoyez autant d'objets qu'il y a de joueurs moins un. Disposez tous ces objets par terre, en rangée, à environ sept ou huit mètres des joueurs. Puis, donnez le signal de départ: un coup de sifflet, ou simplement: «À vos marques, prêts, partez!» Dès lors, les joueurs s'élancent et tentent de s'emparer d'un objet. Celui qui n'y parvient pas est aussitôt éliminé. Enlevez ensuite un objet et poursuivez le jeu jusqu'à ce qu'il ne reste plus que deux joueurs en lice pour un seul objet. Le premier des deux qui réussit à s'en emparer est déclaré vainqueur. S'il fait très chaud, proposez aux enfants d'endosser leurs maillots de bain et munissez-vous d'un pistolet à eau. Chaque fois qu'un joueur est éliminé, il doit passer à la douche! Si au contraire le temps n'est pas clément, rien n'empêche de jouer à l'intérieur: on dispose alors les objets sur une table, de préférence en les groupant au centre, et on invite les joueurs à prendre place tout autour.

5 juin

Trijambiste

Marcher, trottiner ou courir sur trois jambes! Impossible, croyez-vous? Eh bien, non! Il suffit que deux enfants, placés côte à côte, soient attachés par une jambe à l'instar de frères siamois: à l'aide d'un foulard, on lie la jambe droite de l'un à la jambe gauche de l'autre. On invite alors les compères à se tenir fermement par la taille et à avancer de concert, lentement d'abord, puis de plus en plus rapidement. S'il y a plusieurs volontaires, on peut même organiser une petite course!

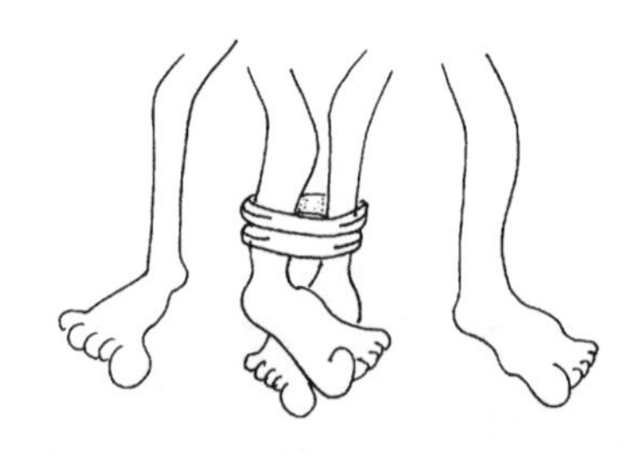

6 juin

L'heure des quilles

Pour jouer au bowling, nul besoin d'acheter un jeu de quilles ou de se rendre à la salle la plus proche! Vous possédez déjà, chez vous, tout ce qu'il faut pour pratiquer cette activité. Prenez 10 bouteilles de plastique vide, collez sur chacune d'elles une petite étiquette blanche et numérotez-les de 1 à 10. Disposez-les ensuite de manière à former un triangle inversé, le sommet — où figurera la quille nº 1 — face aux joueurs. Puis, à l'aide d'une balle en caoutchouc ou d'un petit ballon que l'on fera rouler sur environ quatre ou cinq mètres, les joueurs, à tour de rôle, tenteront de renverser le plus grand nombre de quilles. Chaque joueur a droit à deux lancers et l'on ne procède au compte final qu'après le second de ces lancers. On accorde 1 point par quille renversée, 20 points par abat (toutes les quilles sont renversées après 1 seul lancer) et 15 points par réserve (plus aucune quille debout après le second lancer). Le premier joueur à obtenir la marque de 60 points devient le champion en titre. Si plusieurs enfants participent au jeu, ils peuvent jouer individuellement ou former deux équipes. Dans ce dernier cas, on hausse la marque à atteindre car les points sont cumulés. Et… «Yabadabadoo!», dirait Fred Caillou.

7 juin

Adopter une ligne de conduite

Il fait beau et votre enfant désire s'amuser dehors avec ses copains, mais tout le monde est en panne d'inspiration! Arrivez à la rescousse en leur proposant ce petit jeu divertissant qui ne demande qu'une craie, un foulard et... une bonne mémoire visuelle. Pour les distraire, munissez-vous d'une craie blanche et tracez sur le sol une ligne droite de quatre à cinq mètres de long. Puis, invitez un enfant à se tenir au tout début de la ligne et à observer le tracé de cette dernière durant 30 secondes. Dès que le temps est écoulé, bandez-lui les yeux et demandez-lui de parcourir la ligne sans dévier du parcours. Pour plus de sécurité, on place les autres joueurs de part et d'autre de la ligne. «Facile», dites-vous? Essayez donc pour «voir»! Et puis, rien ne vous empêche d'ajouter quelques difficultés supplémentaires: un trajet en L, un cercle, un huit, etc.

8 juin

Kaléidoscope

Voilà un jeu qui peut se dérouler à la maison comme en plein air et qui n'exige presque rien, si ce n'est la présence d'au moins cinq enfants. Demandez-leur de s'asseoir en demi-cercle devant vous et invitez-les à observer la couleur de leurs propres vêtements et d'autres accessoires tels que leurs souliers, ceintures, etc. Après 30 secondes, annoncez une couleur, par exemple «noir». Tous les joueurs porteurs de cette couleur (d'une veste à une monture de lunettes en passant par un bouton) se lèvent immédiatement. Dès qu'un joueur commet une erreur ou hésite trop longtemps avant de faire le mouvement qui s'impose, il est éliminé. Une fois la première couleur énoncée, les joueurs s'assoient de nouveau et le jeu reprend avec une autre couleur (ou la même) et ainsi de suite, de plus en plus rapidement au fur et à mesure que le nombre de joueurs diminue. Le dernier en lice remporte la palme!

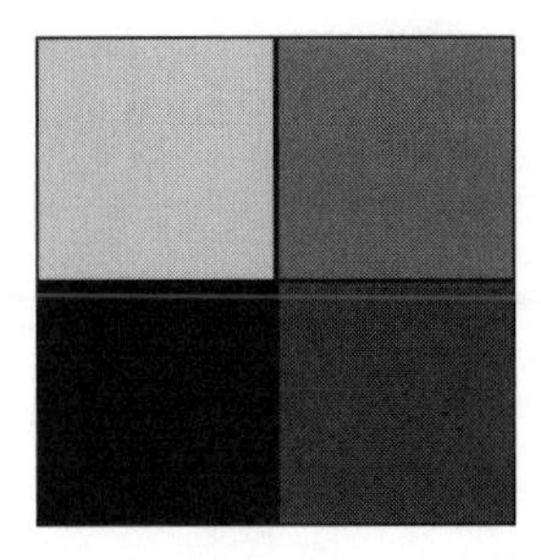

9 juin

Cache-cache

Jouer à cache-cache, c'est opter pour le classique des classiques. Il s'agit de choisir un terrain qui recèle de multiples cachettes (remise, murets de pierre, etc.) ou éléments naturels (arbres, buissons, rocher, etc.) permettant aux joueurs de se dissimuler. Évidemment, ils doivent s'entendre au préalable sur les limites du terrain, ainsi que sur l'endroit où se trouvera le but (un mur ou un arbre, par exemple). Un des joueurs, choisi au hasard, se place face au but, lève son bras devant ses yeux et se met à compter jusqu'à 30 ou 50. Aussitôt, les autres participants se dispersent et se cachent du mieux qu'ils peuvent. Dès que le joueur qui compte approche du dernier chiffre, il se met à hausser de plus en plus la voix de façon à ce que les autres comprennent que la chasse est sur le point de débuter. Une fois le décompte terminé, il part à la recherche de ses compagnons. Dès qu'il en découvre un, il crie son nom et se met à courir en direction du but, qu'il doit toucher de la main droite. Quant au joueur démasqué, il doit tenter d'atteindre le but avant le «compteur», sinon il est pris. Lorsqu'un joueur dissimulé croit pouvoir devancer le compteur, il peut décider de sortir de sa cachette en s'élançant vers le but. Évidemment, le «compteur» doit inspecter le terrain jusqu'à ce que tous les joueurs aient été découverts. Le premier joueur qui a été attrapé devient le «compteur» à la partie suivante.

10 juin

Le code de la route

Rassemblez les participants sur un terrain assez dégagé et invitez-les à suivre les indications d'un meneur de jeu, volontaire ou désigné au sort. En utilisant la symbolique des couleurs figurant sur les feux de circulation, le meneur devra diriger le flux des «voitures» qu'il a sous les yeux. Attention, chaque conducteur qui ne respectera pas le code de la route sera automatiquement éliminé!

Au terme «Vert!» les joueurs doivent se mettre à courir.
Au terme «Jaune!» tous se mettent à marcher.
Au terme «Rouge!» il leur faut rester parfaitement immobiles!

11 juin

Le chat et les rats

Avez-vous déjà vu un chat poursuivi par des rats? Vous ne perdez rien pour attendre! On choisit au hasard un joueur qui interprétera le rôle du chat. Un foulard ou un mouchoir, glissé au dos de sa ceinture, lui servira de queue. Au signal donné, le chat s'enfuit et les autres joueurs (les rats) le poursuivent afin de l'encercler. L'objectif? S'emparer de la queue du chat sans être touché par ce dernier. En d'autres termes, dès qu'un joueur est touché par le chat, il est éliminé. Dans l'éventualité où le chat réussit à croquer tous les rats, il est déclaré vainqueur! Cependant, si un rat plus futé que les autres parvient à s'emparer de la queue du gros matou, c'est lui qui remporte la partie!

12 juin

La tête dans les nuages

Le ciel, d'un bleu éclatant, est parsemé de gros nuages blancs cotonneux? Il fait si doux que l'idée même de rester à l'intérieur vous paraît un crime de lèse-majesté contre dame nature? Prenez alors deux grandes serviettes de plage, deux jus de fruits en boîte et une provision de raisins secs et de noix, puis allez vous installer avec votre enfant sur un terrain gazonné ou encore optez pour la plage. Étendus tous deux sur le dos, observez les nuages et associez leurs formes diverses à des objets, des animaux, des personnages... Il n'y a évidemment pas de gagnant ni de perdant à ce jeu, seulement le plaisir de rêvasser de concert sous un ciel magnifique!

13 juin

Glace et grimace

Quoi de plus rafraîchissant, lorsqu'il fait chaud, qu'une coupe débordante de fruits mêlés à de la crème glacée? Invitez votre enfant à préparer lui-même cette délicieuse collation en lui donnant une forme rigolote! Il suffit de parer une grosse boule de crème glacée d'une bouche grimaçante composée de noix hachées disposées en demi-cercle inversé, d'un nez en forme de fraise, de joues framboisées et de deux yeux globuleux réalisés avec les moitiés d'un grain de raisin bleu ou vert! Voilà autant d'initiatives qui contribueront à rehausser tant la saveur que l'allure d'une simple boule de crème glacée à la vanille! Bref, à ce jeu, collation rime avec imagination!

14 juin

Le cercle interdit

Rassemblez tout d'abord les enfants sur un terrain sablonneux, asphalté ou en terre. Tracez-y ensuite, à l'aide d'un bâton ou d'une craie, un cercle dont la circonférence sera inférieure à celle formée par la ronde des joueurs se tenant par la main. Au début du jeu, chaque joueur se voit attribuer 10 points. L'objectif? En s'entraînant mutuellement vers l'avant et vers l'arrière, faire perdre des points aux autres participants en tentant de les forcer à entrer dans le cercle interdit. Dès qu'un joueur y pose le pied, il perd automatiquement un point. Muni d'un bloc-notes et d'un crayon, enregistrez les points en surveillant de près chaque intrusion dans le cercle. Après un délai fixé à l'avance, le jeu se termine et le vainqueur est le joueur dont la marque se rapproche le plus du chiffre 10.

15 juin

Quel échalas!

«Quand je serai grand...» Combien de fois avez-vous entendu cette phrase dans la bouche de vos marmots? Eh bien, aujourd'hui, leur rêve deviendra réalité grâce aux échasses maison! Prenez deux boîtes de conserve vides d'égales dimensions. À l'aide d'un clou et d'un marteau, percez un trou dans les deux côtés de chacune des boîtes, assez près du bord supérieur sur lequel reposeront les pieds de l'équilibriste. Puis, pour chaque boîte de conserve, passez les extrémités d'une corde dans les deux trous et maintenez le tout en place en faisant de solides nœuds à l'intérieur. Assurez-vous que les cordes soient d'une longueur égale et suffisante pour que votre enfant, une fois grimpé sur les deux boîtes, puisse les agripper avec les mains sans avoir besoin de se pencher. Invitez-le alors à faire son numéro d'équilibriste monté sur ses échasses! Si plusieurs enfants sont présents, mettez-les au défi de marcher le plus rapidement possible — voire de courir — en tentant de conserver leur équilibre. Un terrain souple est évidemment alors de rigueur! Attention: ne pas utiliser des boîtes de conserve vides dont les bords seraient irréguliers ou tranchants!

16 juin

Pfff!... Tu peux toujours courir!

Qui arrivera le premier? La course est un jeu probablement vieux comme le monde, mais dont les enfants ne se lassent jamais. D'abord, il s'agit de fixer une ligne de départ et une ligne d'arrivée, que ce soit en traçant à la craie une marque sur le sol ou en déterminant des points de repère précis (un arbre, une clôture, une poubelle, etc.). Les enfants se placent ensuite côte à côte tandis que vous vous occupez de lancer le signal du départ: «À vos marques. Prêts? Partez!» Le premier à franchir la ligne d'arrivée remporte la médaille! Évidemment, on peut rendre la course encore plus intéressante et stimulante en imaginant toutes sortes de variantes: à cloche-pied, à quatre pattes, en rampant, en portant un objet en équilibre sur la tête, en franchissant divers obstacles ou en transportant un gobelet rempli d'eau dont il ne faudra pas perdre une seule goutte!

17 juin

Le petit cochon

Ce jeu vous rappelle peut-être quelque chose? Les enfants s'assoient par terre de manière à former un cercle dont un des joueurs sera exclu. Ce dernier tient dans sa main un objet ni trop léger ni trop lourd: le «petit cochon». Ce pourra être un foulard, un petit sac de sable ou tout autre objet qui ne fera pas de bruit en tombant. Le joueur qui possède le petit cochon se met alors à trottiner autour du cercle en faisant mine, de temps à autre, de déposer son objet derrière le dos d'un de ses camarades. Puis, il se décide à agir pour de bon (durant tout ce temps, les autres joueurs peuvent fredonner un air connu). Dès qu'un joueur s'aperçoit que le petit cochon a été déposé derrière son dos, il s'en empare et se met aussitôt à la poursuite de celui qui a fait le coup, tandis que ce dernier tente de distancer son poursuivant afin d'aller occuper la place devenue vacante. Attention: il est obligé de faire un tour complet du cercle avant de pouvoir s'asseoir! S'il y parvient, le joueur muni dorénavant du petit cochon reprend le jeu. Toutefois, si le poursuivi se fait toucher avant d'être parvenu à occuper la place vacante, il reprend le petit cochon et recommence à circuler à l'extérieur du cercle.

18 juin

Trois fois passera

Un groupe composé d'au moins huit enfants est requis pour cette activité. Deux enfants, désignés par le sort, se placent face à face en joignant les mains, les bras tendus vers le haut de manière à créer un pont. Tous les autres enfants se placent les uns derrière les autres et se mettent à défiler sous le pont en penchant légèrement le corps. Passants et pont scandent alors à l'unisson: «Trois fois passera, la dernière, la dernière... Trois fois, passera, la dernière (ou le dernier, c'est selon) y restera!» Dès lors, les deux enfants dont les mains sont jointes abaissent le pont de manière à emprisonner un joueur. Pour être délivré, ce dernier devra, au choix, réciter un poème, pousser une chansonnette ou raconter une bonne blague. Une fois ceci fait, le pont-levis peut se relever! Assurez-vous que tous les enfants puissent faire le pont au moins une fois...

19 juin

Marie Stella

Un joueur, appelé traditionnellement Marie Stella, tourne le dos à quatre ou cinq autres participants, placés en rang à quelques mètres de lui. Il lance alors un ballon par-dessus son épaule, en direction de ses camarades, mais sans jamais tourner la tête. Le joueur qui attrape le ballon le cache derrière son dos ou le remet à un autre joueur. Puis, les joueurs se serrent les uns contre les autres tout en faisant semblant de porter, chacun, un ballon derrière leur dos. Ils demandent alors, tous en chœur: «Qui est-ce qui l'a, Marie Stella?» Marie Stella se retourne et tente de deviner quel joueur est porteur du ballon. En cas de réussite, le joueur découvert devient à son tour Marie Stella. Lorsque la réponse est erronée, chacun conserve son rôle et on recommence du début. Toutes les feintes sont permises pour confondre Marie Stella: faire semblant d'avoir du mal à garder le ballon derrière son dos, affirmer haut et fort: «Je l'ai!» après que Marie Stella a lancé le ballon alors que c'est un autre joueur qui y est parvenu, etc.

20 juin

Sucettes glacées

La journée s'annonce cuisante? Vite! il vous faut préparer, avec l'aide de votre enfant, un assortiment de rafraîchissantes sucettes glacées maison! La recette en est fort simple. Versez une bonne quantité de jus de fruits naturel sans sucre ajouté dans des petits gobelets de plastique. Jus de raisin, jus d'orange ou jus de fruits exotiques conviennent à merveille. Recouvrez ensuite chaque verre d'un carré de pellicule de plastique moulante que vous maintiendrez en place à l'aide d'une bande élastique. Faites une légère incision au centre et insérez-y un bâtonnet à café en bois. Mettez le tout au congélateur. Environ trois heures plus tard, il n'y a plus qu'à passer le verre sous l'eau chaude et à le retirer en tournant doucement afin de dégager la plus délicieuse des sucettes glacées vitaminées! Note: des bacs spéciaux pour la confection de sucettes glacées sont également disponibles dans certains magasins.

21 juin

Le regard de la Méduse

Un joueur, surnommé la Méduse, fait face à un arbre ou à un mur. Les autres joueurs se placent à huit mètres environ derrière lui, sur une ligne imaginaire ou délimitée par des pierres. Ils doivent s'avancer progressivement jusqu'à la Méduse afin de s'emparer d'un de ses serpents représentés par une bande de tissu glissée dans sa ceinture. La Méduse, sans crier gare, peut tourner la tête à tout moment (sans toutefois bouger le reste de son corps). Si elle surprend un joueur en train de se mouvoir, il est automatiquement renvoyé à la ligne de départ. Quant aux autres, ils doivent demeurer pétrifiés tant qu'ils sont dans le champ de vision de la Méduse et cela, peu importe leur posture: un simple geste, aussi léger soit-il, suffit pour retourner à la case départ. Le vainqueur sera le premier qui parviendra à s'emparer du serpent de la Méduse.

22 juin

Le ballon voyageur

Votre enfant, en compagnie de quatre ou cinq de ses copains, désire s'amuser en s'adonnant à un nouveau jeu. Proposez-leur de former un cercle assez large, puis de s'envoyer et se renvoyer un petit ballon. Un joueur placé au centre cherchera à intercepter ce ballon voyageur tout en restant toujours à au moins trois pas de la limite formée par le cercle. Quant aux autres enfants, ils devront se déplacer constamment, tout en se lançant le ballon. Si le joueur du milieu parvient à s'emparer de l'objet convoité, il cède alors la place au joueur fautif, qu'il s'agisse de celui qui a fait une mauvaise passe ou de celui qui a reçu le ballon mais n'a pu le retenir ou le maîtriser.

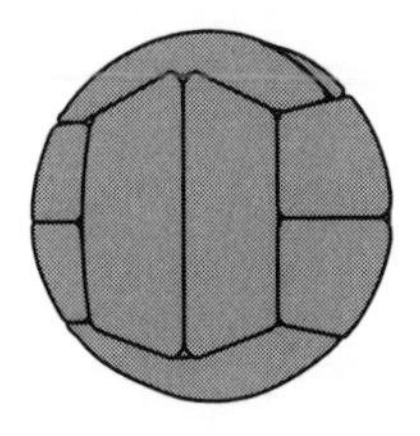

23 juin

Basket-ball aquatique

C'est une de ces journées torrides où la seule activité que l'on puisse décemment envisager consiste à barboter dans l'eau fraîche? Ça tombe bien car vous êtes justement en congé? Voici un jeu aquatique qui agrémentera toute sortie à la plage ou à la piscine. Il suffit de se procurer un ballon de plage et deux cerceaux de plastique légers auxquels on attachera des cordes lestées d'un gros caillou aux extrémités: ainsi, les cerceaux — placés à une bonne distance l'un de l'autre — flotteront à la surface de l'eau tout en étant immobilisés. On forme ensuite deux équipes dont les membres se rassemblent au milieu du «terrain» (il n'est pas nécessaire de jouer en eaux profondes, mais on doit être immergé au moins jusqu'aux aisselles). On procède alors à la mise au jeu du ballon. Deux joueurs se font face, un troisième lance le ballon au-dessus de leurs têtes et, en sautant, l'un des deux opposants doit chercher, à l'aide d'une simple tape sur le ballon, à diriger ce dernier vers l'un de ses coéquipiers. L'objectif consiste à parvenir à emprisonner le ballon dans le cerceau de l'équipe adverse après s'être fait au moins trois passes. On peut nager certes, mais aussi marcher ou courir dans l'eau avec le ballon. Il est toutefois interdit de nager sous l'eau avec le précieux objet pressé contre soi. Chaque fois qu'une équipe réussit un «panier», elle obtient un point. La première équipe à accumuler cinq points gagne la partie!

24 juin

La fête de la Saint-Jean-Baptiste

C'est aujourd'hui la fête de saint Jean-Baptiste! Au Québec, c'est jour de fête nationale! Pour souligner l'événement, vous pouvez:

- confectionner des drapeaux fleurdelisés avec de la colle, des bâtonnets et de la feutrine bleue et blanche;
- gonfler et suspendre une multitude de ballons bleus et blancs;
- apprendre à votre enfant quelques danses et chansons folkloriques québécoises;
- consulter des livres et des encyclopédies pour en apprendre davantage sur l'histoire de la Nouvelle-France; s'en inspirer pour se costumer ou présenter une petite pièce de théâtre en plein air;
- organiser une soirée entre amis où l'on chantera et dansera autour d'un feu de joie.

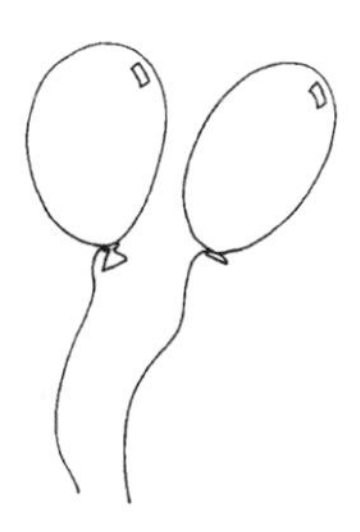

25 juin

Appels codés

Pour jouer à ce jeu, il faut pouvoir compter sur au moins six ou sept participants (davantage si possible). Tous les joueurs, assis par terre ou sur des chaises, doivent s'attribuer un numéro qu'il leur faudra retenir (par exemple de 1 à 6 s'il y a six joueurs). Puis, ils sont invités à faire certains mouvements de concert: se frapper les mains l'une contre l'autre à deux reprises, se taper ensuite les cuisses deux fois, de sorte qu'ils en arrivent à créer un rythme qu'il leur faudra ensuite maintenir à l'unisson. Une fois que les joueurs maîtrisent le tempo, le joueur numéro 1 fait son appel (en disant, par exemple, «1 appelle 5») mais seulement lorsque ses mains frappent ses cuisses. Le joueur numéro 5 doit alors répondre, dès qu'on en arrive aux prochaines tapes sur les cuisses, «5 appelle...», et ainsi de suite. Le joueur qui ne répond pas dans les temps ou qui oublie de répondre est éliminé mais doit demeurer en place. Si un joueur, par mégarde, appelle un numéro dont le porteur a été mis hors jeu, il est lui aussi éliminé. On poursuit la partie jusqu'à ce qu'il ne reste plus que deux joueurs en lice, qui devront s'interpeller en respectant la gestuelle de base mais en accélérant de plus en plus la cadence afin de faire flancher l'adversaire.

26 juin

Le ballon acrobate

Les enfants sont invités à former un cercle au centre duquel un joueur, désigné au hasard, prend place. Son rôle consiste à donner des ordres aux autres joueurs quant à la façon dont ils doivent faire circuler un ballon. Par exemple, le meneur pourra demander à ses camarades de se passer le ballon très rapidement ou au ralenti, de le lancer de la main gauche, par-derrière, en étant couchés, assis, à genoux ou debout, etc. Dès qu'un joueur rate l'attrapé, il prend la place du meneur de jeu.

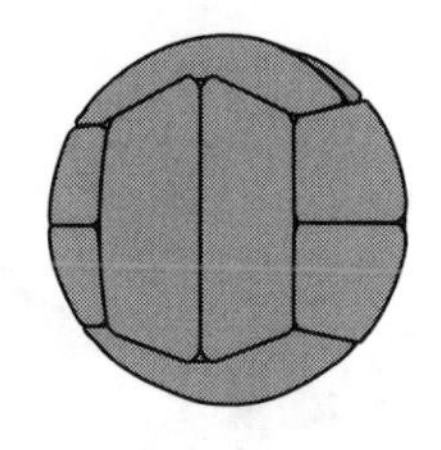

27 juin

Coucou, c'est moi!

Le ciel est couvert et l'orage approche? Proposez à votre enfant de réaliser un portrait grandeur nature de lui-même. Pour réaliser ce projet, procurez-vous du papier d'emballage blanc ou utilisez du papier kraft. Évidemment, assurez-vous que le papier choisi, tant en largeur qu'en longueur, soit plus grand que la taille de votre enfant. Demandez alors à ce dernier de s'étendre sur le papier, les bras et les jambes assez écartés du corps. Tracez ensuite le contour de son corps le plus exactement possible en tenant le crayon bien à la verticale. Selon l'âge de votre enfant, il pourra découper lui-même sa silhouette, ou alors accomplissez cette tâche pour lui. Ensuite, invitez-le à compléter cette œuvre à l'aide de crayons de couleur ou de gouache. Dites-lui de veiller à ce que le portrait soit ressemblant de sorte qu'il porte une attention particulière à la couleur et à la forme de ses vêtements, de ses yeux, de ses cheveux, etc. Exposez l'autoportrait bien en évidence dans la maison, voire sur la porte de sa chambre! Votre enfant sera fier de son œuvre et du même coup… de sa personne!

28 juin

Le ballon chasseur

Sur une surface asphaltée, délimitez un terrain rectangulaire, séparé au milieu par une ligne très visible tracée à la craie blanche. Les règles du jeu sont simples. Formez deux équipes dotées d'un capitaine, chacune prenant place de part et d'autre de la ligne de démarcation et à l'intérieur des limites fixées. On désigne au sort l'équipe qui aura le privilège de commencer la partie et son capitaine se voit alors remettre un ballon. Il prend ensuite son élan et lance le ballon de toutes ses forces vers l'équipe adverse. Si un des joueurs de cette équipe attrape le ballon, il le relance immédiatement dans le camp adverse. Toutefois, s'il est touché par le ballon ou s'il le laisse tomber, il est aussitôt éliminé et doit sortir du terrain. Il faut noter qu'un joueur touché par un ballon qui a fait au préalable un rebond au sol demeure sauf! Chaque joueur peut, pour se donner de l'élan, se rendre jusqu'à la ligne de démarcation avant de faire son lancer. Toutefois, il est strictement interdit de franchir cette ligne ou d'y poser le pied. L'objectif consiste à éliminer, un à un, tous les joueurs de l'équipe adverse. Évidemment, l'esprit sportif est de rigueur: interdiction donc de viser la tête ou le visage d'un camarade!

29 juin

Le grand ménage

Il fait beau aujourd'hui et vous désirez en profiter pour étendre votre lessive sur la corde à linge? Malheureusement, les copains de votre enfant sont mystérieusement disparus et il s'ennuie? Faites d'une pierre deux coups, voire trois! Installez un grand bac rempli d'eau savonneuse près du lieu où vous avez à faire, donnez une éponge et un chiffon à votre enfant, puis invitez-le à laver ses jouets de plage (camions, pelle, seau, etc.), à nettoyer son tricycle ou sa bicyclette ou encore à donner le bain à ses poupées. Vos vêtements pourront sécher au soleil, les jouets de votre enfant seront immaculés et ce dernier s'amusera tellement qu'il vous proposera peut-être ses services pour passer au nettoyage des chaises de jardin!

30 juin

Spectacle d'otarie

Le mercure est à la hausse et vous envisagez de faire trempette? Puisque vous disposez déjà de cerceaux et d'un ballon de plage (voir 23 juin), mettez de nouveau à profit ces accessoires en montant un superbe spectacle aquatique. Dans un premier temps, soyez le dresseur et invitez votre enfant à se transformer en otarie. Montez divers numéros selon l'âge et la facilité avec laquelle votre enfant se meut dans l'eau. Par exemple, maintenez un cerceau sous l'eau et invitez votre otarie à le traverser. Laissez flotter un cerceau au centre duquel devra émerger la tête du charmant petit animal à la suite d'un plongeon. Emprisonnez un ballon dans un cerceau flottant et ordonnez à l'otarie de disparaître sous l'eau afin de libérer le ballon d'un simple coup de tête. Tenez le cerceau hors de l'eau et invitez votre enfant à y lancer le ballon. Enfin, récompensez l'otarie en lui offrant une petite collation (des biscottes en forme de poisson ou une salade de thon) et ensuite, pourquoi pas, inversez les rôles!

1er juillet

Ô Canada!

Aujourd'hui, c'est la fête nationale du Canada! Profitez de cette journée pour tester les connaissances de votre enfant et de ses copains en matière de géographie ou d'histoire canadiennes en organisant un petit jeu-questionnaire. Voici quelques questions pouvant être posées aux génies en herbe:

- Quelle est la capitale du Canada? - Ottawa
- Le Canada est divisé en combien de provinces? – 10
- Nommez les 10 provinces ainsi que leur capitale. – Colombie-Britannique (Victoria), Alberta (Edmonton), Saskatchewan (Regina), Manitoba (Winnipeg), Ontario (Ottawa), Québec (Québec), Nouveau-Brunswick (Fredericton), Nouvelle-Écosse (Halifax), Île-du-Prince-Édouard (Charlottetown), Terre-Neuve (St. John's).
- À quel événement majeur réfèrent les dates suivantes: 1534? (Jacques Cartier découvre le Canada) - 1763? (La France cède le Canada à la Grande-Bretagne) – 1837-1838? (Le temps des Rébellions) – 1867? (L'Acte de l'Amérique du Nord britannique crée le Dominion du Canada), etc.

Consultez un dictionnaire, un atlas ou des livres d'histoire et multipliez les questions au besoin! Pour les plus petits, prévoyez un questionnaire adapté à leurs connaissances générales (par exemple, des affirmations sur les animaux que l'on trouve au Canada) et auquel ils devront répondre par «vrai» ou «faux».

2 juillet

Album souvenir

Pourquoi ne pas profiter de la fin des classes pour faire le tri dans tout ce que votre enfant a rapporté de l'école (ou de la maternelle) tout au long de l'année? Mieux encore, demandez à votre enfant de participer à la création d'un superbe album souvenir où seront conservées ces précieuses reliques: photo de groupe des enfants de sa classe, dessins fait dans les cours d'arts plastiques, examens de mathématiques fort bien réussis, brillante composition de français, certificat de mérite, photos prises à l'occasion du spectacle de fin d'année, etc. Pour réaliser ce projet, procurez-vous un album à photos (ou un cahier de type catéchèse). Laissez à votre enfant le soin de composer lui-même la première page, où pourraient figurer, par exemple, son nom, son âge, son degré scolaire, le nom de son enseignant(e), les noms de ses camarades, ses matières préférées, etc. Ensuite, il n'y a plus qu'à inclure (ou à coller) dans l'album souvenir toutes ces petites choses que votre enfant (et vous) désirez conserver pour vos vieux jours.

3 juillet

Stand de tir

Votre bac à récupération déborde? Jetez-y donc un coup d'œil et voyez si vous ne pourriez pas y repêcher une dizaine de boîtes de conserve... Pourquoi faire? Un stand de tir, voyons! Vous savez... comme ceux que l'on retrouve dans les parcs d'attractions et qui exigent du participant habileté et adresse pour faire tomber toutes les boîtes, d'un seul coup, à l'aide d'une simple balle, en échange de quoi il peut remporter un jouet en peluche. Cette fois, cependant, vous ne serez pas obligé de défrayer quoi que ce soit pour contenter votre enfant... Vous n'avez qu'à disposer les boîtes sur une surface surélevée de manière à former une pyramide. Puis, invitez votre enfant, et ses copains s'il y lieu, à se placer à environ trois mètres de la cible. Un premier joueur reçoit une balle en caoutchouc, il prend son élan et un... deux... trois! Raté? Il reste une boîte? On remet le tout en place et on passe au joueur suivant. Si vous le désirez, vous pouvez décerner un petit cadeau surprise à ceux qui réussiront l'exploit (prévoyez alors un prix de consolation pour les autres). Nul besoin d'aller tous les jours au parc d'attractions pour bénéficier d'une ambiance de fête foraine!

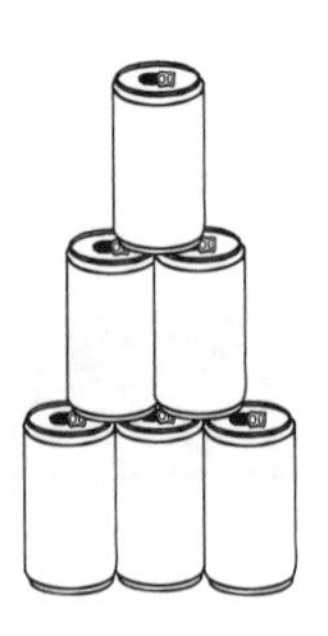

4 juillet

USA Today

Aujourd'hui, c'est la fête nationale des États-Unis! Pour l'occasion, prenez une feuille de papier lignée, tirez un trait au milieu et écrivez, d'un côté, les noms des différents États américains, de l'autre le nom de leur capitale (au besoin consultez un atlas ou le dictionnaire). Faites circuler la liste afin de rafraîchir la mémoire des joueurs. Puis, découpez tous les noms en autant de billets individuels. Mettez tout cela dans un grand bol, mêlez et reposez sur la table. Au signal, les joueurs tentent d'associer le plus grand nombre d'États aux capitales correspondantes. Attention! il est interdit de s'accaparer plusieurs billets à la fois. On en tient un seul dans la main et on cherche son complément ou alors on change de billet. Après un certain laps de temps, on arrête tout. On compte les associations réussies par chacun des joueurs pour déterminer le grand vainqueur.

Variante: Selon l'âge des participants, on peut remplacer les États et leurs capitales par des noms d'acteurs ou d'actrices américains (prénom à associer au nom) ou encore par des personnages de Disney (ex.: Bernard et Bianca, Blanche-Neige et les sept nains, Minnie et Mickey, Tarzan et Jane, la Belle et le Clochard, Pongo et Perdita, etc.)

5 juillet

J'y vais ou j'y vais pas?

Ce jeu, qui exige six participants au minimum, se joue à l'extérieur, sur une surface plane, asphaltée ou sablonneuse. En premier lieu, on délimite l'aire de jeu, soit un grand rectangle (8 m sur 4 m) séparé d'une ligne au milieu sur laquelle on trace un cercle (d'environ 2 m de diamètre). Puis, on forme deux équipes composées d'un nombre égal de joueurs et on dépose autant d'objets (quilles, foulards, etc.) dans le cercle qu'il y a de joueurs dans une équipe. Enfin, les équipes vont se placer dans leur zone respective aux deux extrémités du terrain, au-delà de la ligne délimitant le rectangle. Une première équipe, désignée au hasard, ouvre le jeu. Son objectif? S'emparer de tous les objets sans se faire toucher par un joueur de l'équipe adverse. Dès qu'un joueur, ayant pour mission de récolter un objet, pose ne serait-ce qu'un pied dans le cercle, un joueur de l'équipe adverse a le droit de s'élancer à sa poursuite. (Pour s'accaparer un objet, un joueur doit entrer dans le cercle). Si le joueur, muni de son objet, revient dans son camp sans se faire toucher par un joueur adverse, son équipe gagne un point. Il dépose son objet par terre, dans sa zone, et peut retourner en chasse. Par contre, s'il se fait toucher, il est éliminé du jeu (il conserve son objet, mais se place à l'extérieur du rectangle, sur l'un des côtés, d'où il pourra voir et encourager ses coéquipiers). Par ailleurs, si un joueur sort de sa zone alors que le joueur adverse a seulement fait mine d'entrer dans le cercle mais n'y a pas posé le pied, le joueur trop pressé est éliminé. La manche se termine lorsqu'il n'y a plus d'objets dans le cercle... On compte alors les points (objets récoltés avec succès), on replace les objets au centre et on inverse les rôles. Après trois manches, l'équipe qui a récolté le plus de points remporte la partie. Votre rôle dans tout cela? Arbitrer le match, bien sûr!

6 juillet

Assiettes décoratives

Proposez à votre enfant de réaliser des assiettes décoratives à offrir en cadeau, à accrocher au mur ou à disposer sur une étagère, sur le buffet de la cuisine ou encore sur la commode de la chambre à coucher. Pour réaliser ce projet, on utilise des assiettes en carton, de la gouache et des pinceaux... C'est simple comme bonjour! Résultat? De superbes assiettes décorées d'un paysage, d'un visage, d'un soleil ou encore de motifs abstraits ou géométriques qui contribueront à égayer votre environnement. On peut également se procurer un support métallique ou des petits chevalets en bois pour exposer les œuvres ainsi réalisées.

7 juillet

S.O.S. sous-marin

Ce jeu s'apparente à celui de la statue (voir 31 mai) sauf qu'il se pratique... dans l'eau! Attention! que ce soit à la plage ou à la piscine, il est important que les participants jouent dans une zone qui ne soit pas trop profonde (lorsqu'ils se tiennent debout, leurs épaules devraient être hors de l'eau). Le jeu? Deux joueurs, qui sont les poursuivants, tentent de toucher leurs camarades qui s'enfuient à la nage dans différentes directions. Dès qu'un nageur est touché, il doit s'immobiliser et écarter les jambes. Toutefois, si un nageur qui n'a pas encore été touché plonge sous l'eau et parvient à passer entre les jambes de son camarade, ce dernier est délivré. Lorsque tous les joueurs ont été immobilisés, sinon après un délai fixé à l'avance, on remplace les poursuivants et le jeu reprend de plus belle!

8 juillet

Kick-ball

Pour jouer au *kick-ball*, il convient de rassembler plusieurs enfants — une dizaine — que l'on répartit en deux équipes. Une surface plane, asphaltée ou sablonneuse, se révélera une aire de jeu idéale. On trace un grand carré de 10 m et on fait une marque bien apparente (un rond ou un carré) sur chacun des coins (les buts) en leur attribuant un numéro allant de 1 à 4. Les joueurs de l'équipe qui ouvrira la première manche prennent place en file indienne derrière le but numéro 4 (le marbre). Trois joueurs adverses se placent à une bonne distance derrière chacun des trois autres buts, un autre s'en va «au champ» centre (à un endroit assez éloigné du carré, en ligne avec le 2e but et le marbre), tandis que le cinquième joueur, le lanceur, s'installe au centre du carré (le monticule). Dès lors, le match peut commencer. Le lanceur fait rouler le ballon en direction du marbre, le premier joueur qui s'y trouve prend son élan et donne un solide coup de pied dans le ballon afin de l'envoyer le plus loin possible; il se met ensuite à courir en direction du 1er but. Si un joueur de l'équipe adverse attrape le ballon et réussit à l'envoyer au lanceur avant que le coureur ait atteint le 1er but, ce dernier est éliminé. Sinon, il reste à sa place et se prépare à s'élancer vers le 2e but dès que son coéquipier aura frappé le ballon (si le ballon a été d'emblée envoyé très loin et que le coureur pense qu'il a le temps d'atteindre le 2e but, voire de faire un tour complet jusqu'au marbre — un coup de circuit —, il peut bien sûr tenter sa chance). Dès que le lanceur reprend possession du ballon, il le relance en direction du nouveau joueur qui occupe maintenant le marbre... Et tout recommence... Chaque fois qu'un joueur parvient à toucher le marbre (après avoir foulé du pied les trois premiers buts), son équipe obtient un point! La manche prend fin dès que trois joueurs ont été éliminés et on inverse ensuite les rôles. Après trois manches de jeu, l'équipe qui a accumulé le plus de points remporte la partie!

9 juillet

Le Titanic

Encore une belle journée! Vite les maillots, la serviette, la crème solaire et... un trésor! Cela peut être un collier fait de pâtes alimentaires colorées, un petit coffret de plastique lesté de quelques cailloux, un jouet aux couleurs vives ou... n'importe quoi à la condition que cela ne flotte pas et que l'on puisse facilement en distinguer la forme une fois sous l'eau! On lance l'objet dans la piscine et hop! on plonge! Le premier qui rapporte le trésor est déclaré vainqueur, puis il le relance de nouveau. On peut aussi décider que le trésor, avec le temps, s'est répandu à divers endroits au fond de la mer. On lance alors plusieurs pièces de monnaie dans l'eau... Celui ou celle qui en ramasse le plus remporte la palme!

10 juillet

Yogourt glacé

Pour faire une collation rafraîchissante et nutritive, rien de plus simple! Tôt le matin, demandez à votre enfant d'enlever la pellicule protectrice recouvrant 4 petits contenants de yogourt aux fruits. Puis, donnez-lui 4 bâtonnets à café à enfoncer au centre de chacun des yogourts. Mettez le tout au congélateur. En fin d'après-midi, il pourra se régaler d'un délicieux yogourt tout frais, tout froid! Un conseil: passez le contenant sous l'eau chaude du robinet et tournez-le lentement, en tirant légèrement sur le bâtonnet, ce qui permettra de libérer le yogourt glacé en un tournemain.

11 juillet

Agence de voyages

Vous vous apprêtez à partir en vacances? Intégrez votre enfant à la planification du voyage! Montrez-lui diverses brochures faisant état des activités pouvant être pratiquées dans la région, des attractions à ne pas manquer, des caractéristiques de la faune et de la flore, des sites historiques situés à proximité, etc. En feuilletant des livres et des guides touristiques, que peut-on apprendre sur la région que l'on s'apprête à visiter? Quelles sont les activités qui l'intéressent parmi celles qui sont évoquées? Pourquoi? Demandez-lui d'établir une liste des choses qu'il tient absolument à faire ou à voir durant les vacances et ce, selon un ordre de priorité (s'il pouvait faire seulement une chose, puis deux, puis trois, etc.) Selon lui, qu'est-ce qui ferait plaisir à maman? à papa? aux autres membres de la famille? Est-ce qu'on peut établir ensemble un itinéraire qui permettrait de satisfaire les goûts et la curiosité de chacun?

12 juillet

Virus

Votre enfant et sa kyrielle de copains ont envahi la ruelle à leur retour de la piscine? Invitez-les à jouer aux virus! Délimitez une aire de jeu à l'aide d'éléments naturels (des arbres ou arbustes) ou d'autres objets (clôture, poteau de téléphone, etc.). Si les participants sont au nombre de six, deux d'entre eux se voient attribuer les rôles de virus. Ils doivent ensuite s'éloigner à une bonne distance tout en tournant le dos au groupe. Vous pointez alors du doigt un joueur parmi les 4 restants; ce dernier sera le «docteur». Puis, vous donnez le signal de départ. Les virus tentent de contaminer le plus de joueurs possible par un simple toucher. Toutefois, tant que le docteur n'a pas été lui-même atteint, il peut guérir un joueur contaminé en le touchant discrètement de manière à ce que les virus ne soupçonnent pas l'identité du fameux guérisseur. Le jeu s'arrête lorsque tous les joueurs ont été contaminés par les virus. Ces derniers doivent alors deviner qui était le docteur. Toutefois, si le docteur est tellement habile et rapide que les virus ne parviennent jamais à contaminer tout le groupe, on arrête le jeu après un délai fixé à l'avance... On félicite le grand médecin et on reprend une autre partie en inversant les rôles.

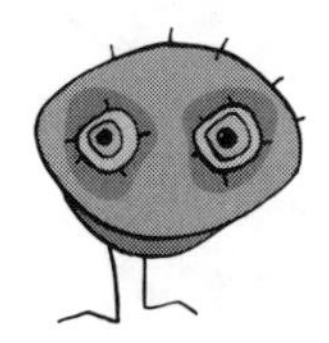

13 juillet

Haut de Javel

Vous avez sous la main deux contenants d'eau de Javel (format de 3,6 l) vides et une balle de tennis? Vous ne le savez peut-être pas encore, mais vous disposez d'un jeu tout à fait amusant, à pratiquer dans la cour arrière, dans la ruelle, au parc ou à la plage. Il s'agit simplement de couper les bouteilles en deux, en faisant une entaille en biseau, à l'endroit se situant juste au-dessous de la poignée (le côté le plus long devra se trouver à l'opposé de la poignée et le tout aura l'allure d'une pelle). Retournez alors les bouteilles (de sorte que le bouchon se retrouve en dessous) et tenez-les par la poignée. Conservez une bouteille et déposez-y la balle; remettez l'autre bouteille à votre enfant. Dès lors, il n'y a plus qu'à vous placer face à face (à une distance d'environ cinq mètres pour débuter) et à vous envoyer la balle à tour de rôle, en la lançant et en l'attrapant seulement à l'aide de la bouteille.

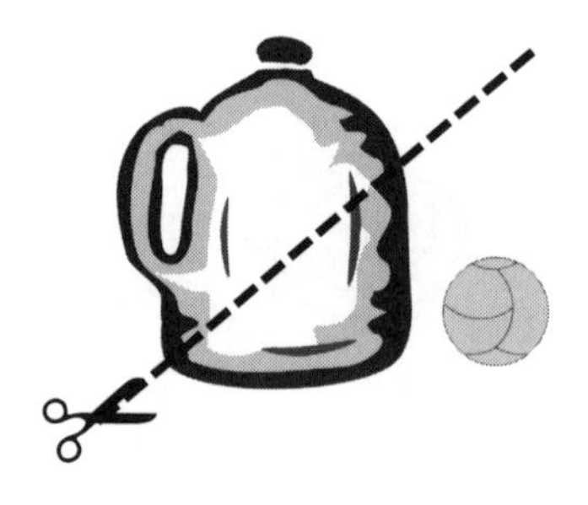

14 juillet

Ils sont fous, ces Gaulois!

Aujourd'hui, c'est la fête nationale de la France. Pourquoi ne pas en profiter pour transformer la cour arrière ou le parc en village gaulois? Inspirez-vous de la célèbre bande dessinée d'Uderzo et Goscinny, inspectez votre malle à costumes et accessoires de déguisement, puis transformez les enfants en ces personnages devenus familiers que sont:

- Astérix (collant rouge, longue camisole noire, une ceinture à laquelle on accroche une petite bouteille de plastique, une passoire inversée munie de deux grandes plumes en guise de casque);
- Obélix (un grand pantalon dans lequel on aura mis un coussin, une silhouette de menhir dessinée dans du carton, de fausses tresses faites avec de la laine orange et deux boucles noires);
- Panoramix le druide (un drap blanc pour la longue robe de druide, une fausse barbe blanche faite d'ouate, un grand chaudron et une louche pour la potion magique).

Enfin, le bon vieux Jules (drapé d'un drap blanc et arborant une couronne de faux laurier) et deux Romains munis d'une fausse épée et d'une armure de carton mettront bien sûr un peu de piquant dans l'affaire! Laissez les enfants inventer leur scénario et aidez-les au besoin pour faire rebondir l'aventure. Enfin, terminez la journée par un grand festin à l'extérieur! Évitez de chanter, sinon vous risqueriez d'être bâillonné ou ligoté à l'arbre comme ce pauvre barde Assurancetourix!

15 juillet

Brochettes fruitées

Invitez votre enfant à préparer le goûter pour toute la famille. Tout d'abord, sortez des assiettes de carton et demandez à votre enfant de confectionner des ronds de serviette assortis. Pour réaliser ce projet, prenez un rouleau d'essuie-tout vide et coupez-le à un intervalle d'environ 4 cm. Vous obtiendrez ainsi plusieurs rondelles que votre enfant pourra décorer à l'aide de marqueurs ou de gouache avant d'y glisser des serviettes de papier. Une fois les assiettes et les ronds de serviette déposés sur la table, passez à la collation proprement dite. Commencez par couper des morceaux de banane, de pomme, de poire, d'orange et d'ananas. Puis, demandez à votre assistant de les enfiler sur des brochettes de bambou et d'en déposer une dans chaque assiette. Il n'y a plus qu'à inviter les convives à prendre place!

16 juillet

La famille Patate

Il pleut à verse? C'est le temps de mettre au monde la famille Patate. Choisissez quatre pommes de terre de grosseur différente: deux petites, une moyenne et une grosse. Lavez-les et brossez-les. Puis, invitez votre enfant à les décorer de manière à créer la famille Patate: Monsieur et Madame, ainsi que leurs deux rejetons, une fille et un garçon bien sûr. Des boutons pour les yeux, le bout d'une carotte pour le nez, de la feutrine rouge pour la bouche et rose pour les oreilles, des brins de laine pour les cheveux et enfin, des retailles de tissu pour confectionner un chapeau, une cravate, un nœud papillon et quoi d'autre encore? Pour faire tenir tous ces éléments, utilisez des cure-dents et, afin de pouvoir exposer vos chefs-d'œuvre, confectionnez des rondelles en carton épais d'environ trois centimètres de hauteur adaptées à la base de chaque membre de la famille Patate, qui pourra ainsi se tenir bien droit!

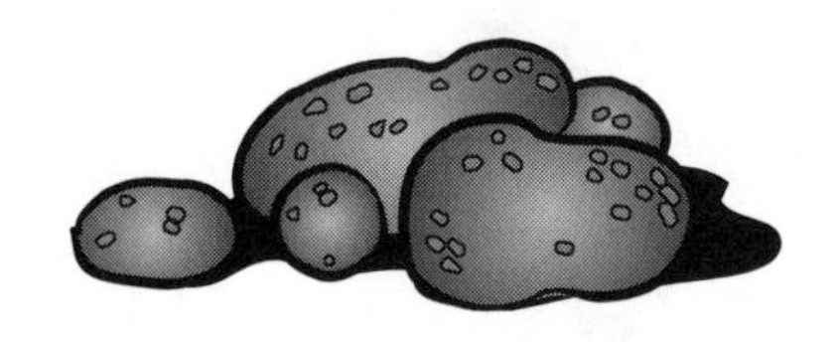

17 juillet

Un herbier

Vous allez à la campagne? à la montagne? en forêt? Profitez-en pour inviter votre enfant à faire provision de plantes et de fleurs sauvages. Une fois de retour à la maison, il suffit de les mettre à sécher, à plat, entre deux essuie-tout et de déposer dessus des objets assez lourds (des livres par exemple) qui feront office de presse. Lorsque les plantes sont bien sèches, il n'y a plus qu'à les coller dans un grand cahier (on peut aussi utiliser un album à photos). N'oubliez pas! votre enfant doit inscrire, au bas de chaque feuille, le nom de la fleur ou de la plante et l'endroit où il l'a trouvée. Au besoin, allez à la bibliothèque et empruntez un guide illustré sur les plantes et les fleurs sauvages de votre région.

18 juillet

Mars attaque!

Voici un jeu qui exige de la force physique mais aussi — et surtout — une grande solidarité entre les partenaires d'une même équipe. Pour y jouer, neuf jeunes participants au moins sont nécessaires, tandis que de votre côté vous assumerez le rôle du meneur de jeu. Rassemblez les enfants sur une surface plane et gazonnée, puis formez trois équipes composées d'un nombre égal de joueurs. Demandez aux membres de chaque équipe de s'étendre par terre, sur le ventre, en formant un cercle et en se donnant la main. Attribuez un nom de planète à chacune des équipes, par exemple Mars, Jupiter et Vénus. Dès lors, muni d'un sifflet, vous procédez à l'annonce: «Mars attaque Jupiter». Les trois joueurs de l'équipe Mars se lèvent d'un bond et tentent, en le tirant par les pieds, de s'approprier un habitant de la planète Jupiter. Ce dernier, en tenant fermement les mains de ses coéquipiers, cherche à résister à l'attaque. Après un certain laps de temps, un nouveau coup de sifflet retentit! Si Mars a réussi à enlever un Jupitérien, elle ramène sa prise avec elle et reforme tout de suite un cercle. Dès lors, vous refaites une nouvelle annonce: «Jupiter attaque Vénus», et ainsi de suite. Dès qu'il ne reste plus qu'un habitant sur une planète, celle-ci doit s'avouer vaincue. La partie prend fin lorsqu'il ne reste plus qu'une planète en lice ou alors, après un délai fixé à l'avance, on dénombre les habitants de chaque planète: la plus populeuse remporte la guerre interstellaire.

Note: Comme le gazon peut tacher le tissu, demandez à l'avance aux enfants de porter de vieux vêtements ou d'apporter le surtout dont ils se servent pour faire de la peinture.

19 juillet

Chasse au bord de la mer

Voici un jeu de plage amusant qui exige d'allier sens de l'observation et vitesse tout en permettant à votre enfant, à ses copains ou aux autres membres de la famille de porter attention à la diversité et à la beauté de ce lieu magique qu'est le bord de mer. Chaque participant, muni d'un seau ou d'un sac, se voit remettre une liste sur laquelle figurent les articles qu'il doit tenter de trouver dans un délai fixé à l'avance. La liste doit être la même pour tout le monde. On pourrait y retrouver, par exemple:

- un caillou blanc ou blanchâtre;
- un caillou rose ou rosâtre;
- deux cailloux bruns ou brunâtres;
- divers coquillages: 1 couteau, 2 bigorneaux, 1 coque, 1 patelle et 1 turbo;
- un bout d'algue.

Une fois le délai écoulé, tout le monde revient au point de ralliement, on compare et on admire les prises, puis on procède au comptage. Le vainqueur est celui qui a réussi à ramener le plus d'articles figurant sur sa liste!

20 juillet

Et vogue le navire!

Vous possédez, à la maison, tout ce qu'il faut pour construire de charmants petits bateaux dont la réalisation suscitera, bien sûr, l'intérêt de votre enfant... En outre, il y a fort à parier que le nouvel armateur ne voudra en aucun cas, ce soir, retarder l'heure du bain, tant il aura hâte de mettre à l'épreuve ses toutes nouvelles embarcations. Pour la base d'un voilier, utilisez un rectangle de styromousse (comme les plateaux qui servent à l'emballage des aliments dans les épiceries). Fixez-y une paille pour faire le mât. Enfin, découpez un triangle dans un sac de plastique ultraléger et percez-y trois trous afin de pouvoir l'enfiler sur le mât. Toutes sortes d'autres modèles peuvent être fabriqués: par exemple un rectangle de styromousse sur lequel on aura tracé, au marqueur brun, plusieurs lignes et nœuds (pour représenter des billots de bois) constituera un radeau; pour faire un hors-bord, utilisez divers morceaux de liège et de styromousse et placez, à l'endroit approprié, un bouchon de liège décoré au marqueur qui fera un superbe marin, etc.

21 juillet

Mère nature

Il peut arriver que les enfants des villes aient la fausse impression que les légumes poussent directement... à l'épicerie! Profitez de cette belle journée pour amener votre enfant contempler les aliments qu'il connaît bien... dans leur environnement naturel qu'il connaît nettement moins bien! Vous avez des parents ou des amis qui vivent à la campagne et possèdent un immense potager? Rendez-leur visite en compagnie de votre enfant. Sinon, dans la plupart des milieux urbains, on trouve des jardins communautaires où les gens peuvent cultiver un petit lopin de terre... Allez-y faire un tour! Laissez votre enfant explorer les merveilles de dame nature en le guidant à l'aide de constats ou de questions toutes simples.

- Amenez-le à découvrir que les légumes sont des parties de certaines plantes.
- «Quelquefois, est-ce que tu manges des feuilles?» Montrez-lui alors du persil, du chou, de la chicorée ou des épinards.
- «Parfois, est-ce tu manges des fleurs?» Regardez les artichauts et les chou-fleurs.
- «Il t'arrive de manger des tiges? Observez le céleri et les asperges.
- «Manges-tu parfois des racines?» Voyez comment la carotte, la pomme de terre et le navet poussent sous la terre.
- «Qu'en est-il des graines?» Montrez-lui des petits pois.

Miam, ça donne faim! «Quels sont tes légumes préférés?»

22 juillet

Un masque en papier mâché

Vous avez sous la main un peu de farine, de l'eau, des vieux journaux, un ballon gonflable et de la gouache? C'est tout ce dont vous avez besoin pour réaliser un superbe masque en papier mâché! Commencez par découper une bonne quantité de bandelettes de papier journal (de 4 à 5 cm de large sur 40 cm de long environ). Puis, protégez la table de cuisine à l'aide d'une vieille nappe. Gonflez un ballon (faites-le vous-même car cela présente un danger pour les jeunes enfants) et déposez-le sur la table. Dans un bol, mélangez de la farine et de l'eau jusqu'à ce que vous obteniez une pâte liquide. Essayez-en d'abord une petite quantité; si le mélange est trop épais, le papier va se déchirer; si le mélange est trop liquide, il n'adhérera pas au papier. Une fois la combinaison idéale trouvée, trempez une bandelette de papier dans le liquide et montrez à votre enfant comment enlever le surplus à l'aide de l'index et l'annulaire, en effectuant une légère pression des deux côtés du papier, du haut de la bandelette jusqu'en bas. Puis, appliquez la bandelette sur la surface exposée du ballon. Invitez ensuite votre enfant à faire de même, en croisant toujours les bandelettes et en les superposant afin d'obtenir une couche homogène composée de deux ou trois épaisseurs de papier. Pour obtenir un bord régulier, assurez-vous de toujours replier les extrémités de chacune des bandelettes. N'oubliez pas de suggérer à l'enfant de façonner le nez et les oreilles. Enfin, laissez sécher deux jours et retirez le ballon. Il ne reste plus à votre enfant qu'à peindre son masque avec de la gouache, au gré de sa fantaisie!

23 juillet

Le monde des insectes

Fournissez à votre enfant des bocaux transparents munis d'un couvercle (percez-y cependant de minuscules trous pour que l'air puisse circuler), une petite pelle et une loupe! C'est tout ce qu'il lui faut pour partir à la chasse aux insectes. Coccinelle, mouche, sauterelle, grillons, fourmis, scarabée... pourront alors être observés minutieusement par votre enfant, qui ne cachera pas sa fierté d'avoir pu récolter tous ces spécimens. Attention! s'il a mis la main sur une araignée ou un mille-pattes, rappelez-lui que ces bestioles ne sont pas des insectes! Combien de pattes a un insecte? Six. Combien de pattes a une araignée? un mille-pattes? N'oubliez pas de demander à votre enfant de relâcher ses petites proies dans la nature une fois qu'il en aura terminé avec ses observations...

24 juillet

Jus à la réglisse

« J'ai chaud... Je meurs de soif! ». Voilà un S.O.S. que l'on entend régulièrement lors des grandes canicules d'été. Quoi de plus désaltérant qu'un bon verre de jus de fruits bien frais. Il sera d'autant plus apprécié que vous aurez préalablement fait givrer les verres au congélateur. Bien plus, invitez votre enfant à confectionner lui-même sa paille: demandez-lui de croquer chaque extrémité d'un bâton de réglisse avant de le plonger dans le verre. Mmmm...! Amusant et délicieux!

25 juillet

Dessin à la craie

Procurez-vous un ensemble de grosses craies de diverses couleurs et votre enfant pourra s'amuser des heures durant en réalisant, avec ses copains, divers dessins directement sur le sol asphalté. Vous obtiendrez ainsi une entrée de garage des plus colorées, un bout de trottoir regorgeant de vie, une ruelle invitant au jeu ou une allée pareille à nulle autre! Et n'ayez crainte, la prochaine pluie sinon un simple arrosage fera disparaître le tout... On pourra alors recommencer, encore et encore...

26 juillet

Tous à l'eau!

Pour s'amuser des heures durant à la piscine, il existe, bien sûr, une diversité de jeux que l'on peut se procurer dans la plupart des boutiques de jouets: ballon gonflable, masque, lunette et tuba, cerceau flottant, etc. On peut tout aussi bien organiser une série d'épreuves qui ne coûtent absolument rien! Qui plongera le plus loin? Qui nagera le plus vite? Qui restera sous l'eau le plus longtemps? On dit un mot sous l'eau et notre vis-à-vis doit deviner de quel mot il s'agit. On peut aussi inviter les enfants à tourner tous dans le même sens plusieurs fois et, ensuite, on les met au défi d'avancer à contre-courant. On jette une douzaine de bouchons de liège dans la piscine: celui qui parvient à en ramasser le plus est déclaré vainqueur! Inventez de nouveaux jeux et amusez-vous!

27 juillet

Bouquet superbe

Vous avez prévu aller à la campagne ou à la montagne aujourd'hui. Bonne idée! Faites-y une longue promenade, respirez à pleins poumons, observez les oiseaux et les petits animaux, admirez le paysage, pique-niquez sur l'herbe. Et puis, sur le trajet de retour, invitez votre enfant à cueillir une multitude de fleurs et d'herbes sauvages, à ramasser quelques petites branches et à lier le tout de manière à composer le plus magnifique des bouquets!

28 juillet

Ça flotte ou non?

S'il pleut à verse, installez-vous au-dessus de l'évier (ou de la baignoire) préalablement rempli d'eau. S'il fait beau et que vous voulez profiter du soleil, allez dans la cour arrière, prenez un bac et remplissez-le d'eau froide à l'aide du tuyau d'arrosage! Tout est prêt pour commencer l'expérience visant à savoir si «ça flotte ou non?» Munissez-vous de divers objets dont certains ont la propriété de flotter sur l'eau (bouchon de liège, plateau de styromousse, planchette de balsa, jouet fait de plastique très léger, etc.) et d'autres dont vous savez qu'ils vont couler à pic! Puis, présentez chacun des objets à votre enfant et demandez-lui s'il pense que «ça flotte ou non». Comme tout bon scientifique, il devra formuler son hypothèse — ça flotte ou ça coule — puis procéder à l'expérience. Amusant, instructif et... rafraîchissant, puisqu'il faudra repêcher les précieux objets qui auront coulé!

29 juillet

Fondue enchantée

Ah... manger des fruits frais l'été... Quel délice! Pour varier et pour amuser la compagnie, préparez une fondue au chocolat! Faites fondre un peu de beurre dans un caquelon, ajoutez quelques morceaux de chocolat (genre Toblerone ou Baker), un peu de crème, des guimauves miniatures. Le tour est joué! Durant ce temps, demandez à votre enfant de garnir les assiettes de fruits divers: raisins, morceaux de banane, fraises, pommes ou quartiers d'orange. On dépose le caquelon sur un support approprié, au centre de la table, on fournit à chacun une brochette et c'est parti! Pour agrémenter la chose, on impose une règle: chaque fois qu'un convive perd son fruit après l'avoir trempé dans le chocolat, il doit pousser une chansonnette ou raconter une blague. Bon appétit!

30 juillet

Le dessin lacé

Voici une activité qui s'apparente au jeu consistant à relier les points pour composer un dessin... sauf qu'on se servira non pas d'un crayon mais plutôt d'un mince ruban. Utilisez un carton rigide sur lequel vous dessinerez une silhouette d'animal, un moyen de transport ou n'importe quel autre objet susceptible d'intéresser votre enfant. À l'aide d'un poinçon, percez un trou à tous les endroits où le trait de crayon a changé d'angle ou de direction. Puis, découpez une longueur de ruban de soie de sorte qu'il puisse, éventuellement, recouvrir tout le contour de la silhouette. Prenez un peu de ruban adhésif et enroulez-en autour de chacune des extrémités du ruban de soie, en serrant fortement, de manière à ce que le tout ressemble aux extrémités d'un lacet standard. Votre enfant dispose alors de tout ce qu'il faut pour réaliser le plus beau des dessins lacés. En premier lieu, il devra enfiler son ruban dans un trou, en le fixant à l'aide de plusieurs nœuds effectués à l'endos du carton. Dès lors, il n'a plus qu'à lacer son dessin d'un trou à l'autre de manière à recouvrir tous les traits de crayon. Une fois ceci terminé, on fait plusieurs nœuds au ruban de soie, à l'endos du carton, de manière à ce que le tout soit solidement fixé. On accroche au mur et le tour est joué!

31 juillet

Coquillages

Votre enfant a rapporté de ses vacances au bord de la mer une multitude de coquillages aux formes et aux couleurs les plus diverses? Ne laissez pas ces magnifiques objets moisir au fond d'un sac. Proposez à votre enfant de les utiliser d'une multitude de façons. Les coquillages comme les bigorneaux et les coques sont souvent percés naturellement d'un trou. Ils pourront, une fois enfilés sur une cordelette, se transformer en superbes bijoux: bracelet, collier, etc. Un gros coquillage, du genre turbo ou murex, fera un presse-papier particulièrement original. Des patelles, des palourdes et des coques pourront décorer agréablement un pot à plantes ou servir à rajeunir un vieux cadre dans lequel on glissera une photo de vacances. Et tant qu'à faire, pourquoi ne pas passer à l'animalerie la plus proche afin de s'y procurer un bocal et un poisson rouge? Votre enfant pourra y déposer les quelques coquillages qu'il lui reste, créant ainsi, pour son nouvel ami, un décor des plus agréables qu'il aura envie d'observer des heures durant!

1er août

Chasse aux papillons

Procurez-vous deux petits filets à papillons que vous pourrez trouver à très bas prix dans la plupart des «magasins à aubaines». Puis, dénichez au moins deux bocaux transparents munis d'un couvercle (percez-y des petits trous pour permettre la circulation de l'air). Vous voilà prêts, votre enfant et vous, pour partir en quête de beaux papillons multicolores. Vous avez réussi votre mission? Faites alors entrer vos papillons respectifs dans chacun des bocaux et observez-les. Consultez un dictionnaire illustré, une encyclopédie ou un livre spécialisé pour connaître le nom de vos spécimens ailés. Profitez-en pour expliquer à votre enfant qu'il existe des papillons diurnes (aux couleurs vives) tandis que d'autres espèces — les nocturnes, aux couleurs plus sombres — ne virevoltent qu'après la tombée du jour. Racontez-lui comment la chenille devient chrysalide, puis enfin, papillon. Pour terminer, admirez une dernière fois vos papillons et... laissez-les s'envoler dans le ciel.

2 août

Une visite au zoo

Une visite au zoo... voilà une activité d'été à ne pas louper car elle représente une aventure fascinante pour les petits comme pour les grands. Profitez pleinement de cette sortie en invitant votre enfant à ne pas se borner à une vue d'ensemble — un bref coup d'œil sur l'animal et sur son environnement — mais à observer la scène de manière plus subtile. Vous pouvez jouer un rôle majeur sur ce plan en lui posant diverses questions ou en lui fournissant certaines explications qui le conduiront à faire une meilleure découverte des merveilles que recèle le jardin zoologique. Suscitez son intérêt en lui faisant remarquer des choses nouvelles, cocasses ou surprenantes à propos des animaux qu'il a sous les yeux. Par exemple:

— Regarde la girafe! As-tu remarqué qu'elle doit écarter ses pattes de devant pour parvenir à boire de l'eau? Sais-tu que c'est l'animal le plus grand qui existe sur la Terre?

— Me crois-tu si je te dis que ce guépard, s'il se mettait à courir, pourrait dépasser une voiture roulant à 90 km/h? À quel animal domestique te fait-il penser? Un chat? Eh oui! il appartient à la même famille...

— La tortue que tu observes est peut-être encore plus vieille que mamie... En fait, une tortue peut vivre jusqu'à 150 ans!

— Sais-tu quel est le plus gros animal terrestre? Oui, l'éléphant! Bravo! Viens, allons lui rendre visite!

Enfin, après la visite, plusieurs activités sont possibles: dessins d'animaux, imitations de quelques spécimens ailés ou poilus, lecture de livres spécialisés sur telle ou telle espèce, etc.

3 août

Batailles d'eau

Il fait tellement chaud que vous avez peine à lever le petit doigt? Allez! Un dernier effort! Tout le monde à ses maillots et à ses seaux, c'est le temps de la grande bataille d'eau! On s'installe dans la cour arrière et, à l'aide d'un tuyau d'arrosage, chacun remplit son seau d'eau. Tout le monde se disperse et, au signal donné, la bataille commence! Ouf! ça rafraîchit! Une autre option? Remplir d'eau un ballon gonflable qu'on se lance à tour de rôle jusqu'à ce que... pouf! la douche! Enfin, on peut aussi se procurer, pour une somme modique, de petits pistolets à eau. On débute alors une partie de cache-cache et pfft! voilà que l'adversaire nous a eu... ou vice-versa!

4 août

Fleurs séchées

Partez en promenade au parc, à la campagne ou en forêt et invitez votre enfant à cueillir une multitude de fleurs sauvages. Une fois de retour à la maison, il pourra composer de jolis bouquets à lier avec une fine cordelette et à suspendre à l'envers de manière à les faire sécher. Une fois que les fleurs seront bien sèches, il pourra les déposer dans de jolis pots en terre cuite, s'en servir pour réaliser une couronne à accrocher à la porte d'entrée ou encore les offrir à grand-maman pour son anniversaire!

5 août

Mon ami l'arbre

Un magnifique chêne ou un bel érable vous procure, chaque été, ombre et fraîcheur dans la cour arrière? Faites-en aussi le complice de votre enfant. À l'aide d'une corde solidement nouée, pendez un vieux pneu à l'une des branches pour en faire une balançoire! Autre option, nouez une corde autour d'un cerceau, puis enroulez l'autre extrémité de la corde autour d'une haute branche de sorte que le cerceau se balance dans le vide à environ deux mètres du sol. Votre enfant pourra alors s'amuser, avec un copain ou avec vous-même, à tenter de lancer son ballon à travers le cerceau en comptant un point pour chaque cerceau réussi. Vous pourriez aussi décider de vous lancer et relancer le ballon en tentant, chaque fois, de le faire passer avec succès dans le cerceau.

6 août

Le totem

Aujourd'hui, invitez votre enfant et ses amis à se transformer en Amérindiens: Hurons, Sioux ou Montagnais, vous avez l'embarras du choix! Il fait chaud? Proposez aux garçons de se promener torse nu et invitez-les à se maquiller le visage et le corps en y traçant des lignes ou des symboles de différentes couleurs. Munissez-vous de lanières et de fausses plumes et créez ensemble de superbes bandeaux. Tressez les cheveux des fillettes, qui pourront se vêtir d'un long tee-shirt d'adulte serré à la taille par une lanière ou une cordelette dans laquelle on aura enfilé des pâtes alimentaires colorées. Fabriquez des tam-tams (grosses boîtes de conserve munies d'un couvercle de plastique flexible), des arcs (une branche à laquelle on fixe une cordelette) et un totem (enroulez du papier d'emballage autour du tronc d'un arbre et demandez aux enfants de le décorer à la gouache). N'oubliez pas d'ériger un tipi à l'aide d'un vieux drap et d'une corde. Et voilà! L'aventure peut commencer!

7 août

Je t'aime

«Je t'aime, maman, parce que tu es magnifique, mignonne, merveilleuse, magnanime, maligne...» Vous aimeriez que votre enfant vous adresse tous ces compliments? Le rêve peut devenir réalité... Il suffit de rassembler les participants et de leur demander, à tour de rôle, d'adresser un compliment à chacun des autres joueurs du moment que la qualité énoncée débute par la même lettre que leur prénom. Le premier joueur à parler, désigné au hasard, pourrait s'adresser ainsi à l'assemblée: «Je t'aime, Julie, parce que tu es joyeuse; je t'aime, Caroline, parce que tu es chaleureuse; je t'aime, Francis, parce que tu es futé», etc. Une fois qu'il a terminé, il passe la parole au joueur assis à sa gauche et ainsi de suite. Dès qu'un joueur connaît une panne d'inspiration, il est éliminé. Pour les Xavier, Yves ou Zoé, on fera une exception... et on utilisera la première lettre de leur nom de famille! Enfin, on peut varier et remplacer les qualités par des défauts... Attention aux susceptibilités toutefois!

8 août

Une visite à la ferme

Vos amis ou des parents possèdent une ferme? Ne ratez pas l'occasion de leur rendre une visite en compagnie de votre enfant! Sinon, consultez les guides touristiques des régions avoisinantes: vous y trouverez sûrement de ces fermes ouvertes au public qui organisent diverses activités spécifiquement destinées aux enfants. Les champs et les récoltes, la grange et le grenier à foin, les poules et les dindons, les vaches laitières, les moutons, une balade dans une charrette tirée par un cheval ou un gros tracteur, les cochons se roulant dans la boue, bref, vous en aurez plein la vue, les oreilles et... le nez! Quant au toucher, il sera comblé avec tous ces animaux à flatter, à brosser ou à nourrir. Enfin, votre enfant pourra aussi goûter aux divers produits de la ferme. Durant tout ce temps, encouragez-le à poser toutes les questions qui le tarabustent depuis si longtemps — «Comment on obtient le lait? le fromage? la laine? les céréales?» «C'est vrai que les œufs bruns proviennent des poules brunes?» etc. — et auxquelles les habitants de la ferme se feront un plaisir de répondre. Bref, une journée qui aura comblé tous ses sens et satisfait — du moins en partie — sa grande curiosité naturelle!

9 août

Ma cabane au Canada

Les enfants adoreront construire et décorer une cabane dans un arbre (avec l'aide d'un adulte, bien sûr!) dans laquelle ils pourront ensuite s'amuser des heures durant. Toutefois, si les branches de votre arbre sont trop élevées, si l'arbre est trop jeune, si vous ne disposez pas des matériaux (planches, clous, etc.) ou de l'espace vert nécessaires pour ce type d'activité, ne vous découragez pas! Utilisez une grosse boîte de carton épais (comme celles qui servent à l'emballage des gros appareils ménagers) et découpez-y une petite porte et des volets. Invitez votre enfant (et ses amis s'il y a lieu) à la décorer à la gouache ou à l'aide de marqueurs de différentes couleurs. Si vous habitez à l'étage, vous pourriez installer la maison sur votre balcon: ce n'est pas parce que votre enfant habite la ville qu'il ne pourra pas, lui aussi, posséder sa maison haut perchée!

10 août

Bataille d'oreillers

Allez! une fois n'est pas coutume! Aujourd'hui, on fait les fous! Pas question de roupiller, ni de faire la grasse matinée... Par contre, on peut décider de retarder le moment où l'on fera les lits car au programme de la journée figure... une bonne bataille d'oreillers. Auparavant, il convient de s'assurer que l'aire de jeu est dépourvue d'objets fragiles ou dangereux. Attention! C'est parti! On peut terminer le tout par une séance de chatouillis en règle, après quoi l'on aura mérité... un bon petit-déjeuner!

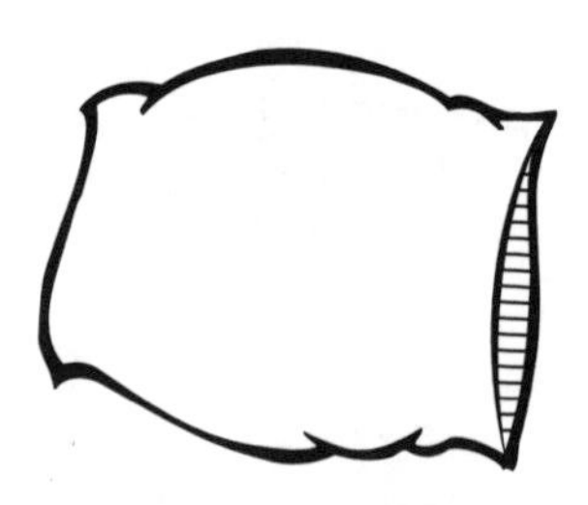

11 août

Le ballon musical

Munissez-vous d'un magnétophone ou d'une radio portative, rassemblez les enfants et invitez-les à former un cercle (ils peuvent être assis par terre ou en position debout, peu importe). Lancez la musique! Les joueurs doivent alors se passer le ballon de main à main dans le sens des aiguilles d'une montre. Puis, sans crier gare, baissez le son de votre appareil. Le joueur qui a alors le ballon dans ses mains est automatiquement mis hors jeu. Relancez la musique et répétez comme précédemment jusqu'à ce qu'il ne reste plus que deux joueurs en lice. Celui des deux qui évitera d'être piégé sera déclaré vainqueur.

12 août

Épluchette

Invitez parents et amis à une superépluchette de blé d'Inde (épis de maïs) dans un décor champêtre. Avec votre enfant, confectionnez un épouvantail que vous accrocherez bien en évidence dans la cour arrière. Pour réaliser ce projet, plantez une fourche en terre, passez une retaille de tissu par-dessus un ballon gonflable (pour la tête) et attachez le tout à l'aide d'une cordelette à la partie supérieure du manche de la fourche. Bourrez une vieille salopette et une chemise à carreaux et fixez le corps ainsi réalisé à la fourche. Enfin, dotez l'épouvantail d'un chapeau de paille et dessinez-lui des yeux, un nez et une bouche! Ajoutez d'autres éléments d'ambiance comme des épis de maïs décoratifs suspendus à la clôture, une banderole indiquant, par exemple, «Superépluchette à la ferme Boucher», que vous accrocherez à la corde à linge, etc. Enfin, décorez la table extérieure d'une jolie nappe à carreaux, faites jouer de la musique *country* et invitez vos convives à se régaler!

13 août

Course dans un sac

Si vous avez organisé votre épluchette de blé d'Inde tel que proposé à la page précédente, vous devez alors avoir en votre possession au moins deux gros sacs de jute. Ne les jetez surtout pas! Invitez plutôt les enfants à participer à une folle course dans un sac! Tracez une ligne de départ et une ligne d'arrivée située à quelque six mètres de distance pour commencer. Puis, au signal, les pieds bien installés au fond du sac et les bras passés par-dessus de manière à pouvoir s'aggriper fermement des deux mains, les participants s'élancent en faisant des bonds, le plus rapidement possible, en direction de la ligne d'arrivée. Amusant mais essoufflant, vous verrez! Prévoyez des rafraîchissements pour la compagnie!

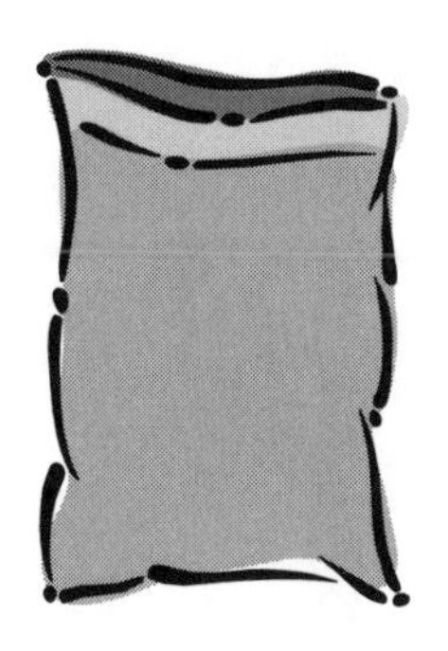

14 août

Observation d'oiseaux

Allez faire un tour à la bibliothèque avec votre enfant et empruntez quelques ouvrages sur les oiseaux de votre région. Puis, munis de petites jumelles, d'un bloc-notes, d'un crayon et d'un panier à pique-nique bien rempli, partez à l'aventure! Vous pouvez décider de faire une excursion aux alentours dans un parc très boisé ou encore opter pour une sortie en dehors de la ville, que ce soit à la campagne, en forêt ou en montagne. Invitez votre enfant à être attentif aux différents chants d'oiseaux qu'il entendra; orientez les jumelles selon l'endroit d'où provient un chant ou un cri d'oiseau et tentez de déterminer de quelle espèce il s'agit. Suggérez à votre enfant de noter ses découvertes en identifiant le nom de l'oiseau et l'endroit où il l'a aperçu. Vous pouvez tenter d'observer les oiseaux en vous promenant le plus silencieusement possible ou encore choisir un poste d'observation confortable pour y surveiller attentivement le ciel, le sol, les arbres, les arbustes et les buissons environnants… Passez ainsi des heures inoubliables avec votre enfant! En outre, vous aurez non seulement pris un grand bol d'air frais, mais vous en aurez appris davantage sur le monde fascinant des oiseaux.

15 août

Jeu de poches

Prenez une boîte faite de carton assez rigide, de grosseur moyenne et de format rectangulaire. Renversez-la et découpez-y, sur le dessus, des ouvertures en forme de cercle, de carré, de losange et d'étoile. Inscrivez sous chacune des «cibles» un nombre de points différent (par exemple 10, 20, 30 et 50 points). Assurez-vous que les cibles soient suffisamment grandes pour qu'un sac de sable (fabriquez-les vous-même à l'aide de retailles de tissu) puisse y pénétrer facilement. Déposez alors la boîte sur une surface plane en la plaçant de sorte que les cibles à atteindre soient situées face aux joueurs placés à quelques mètres de là. À tour de rôle, les joueurs tentent de faire rentrer leurs trois sacs de sable dans l'une ou l'autre des cibles. (Pour que la boîte ne se renverse pas sous l'effet des lancers, déposez une ou deux grosses pierres à l'intérieur). Celui qui a obtenu la marque la plus élevée est déclaré vainqueur!

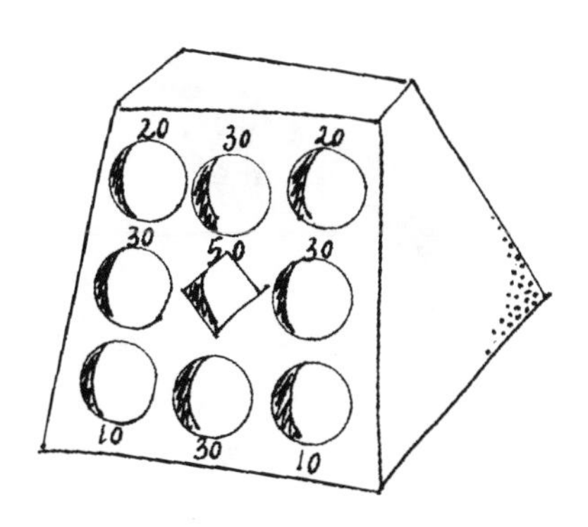

16 août

Un défilé

Proposez aux enfants d'organiser un petit défilé. Maquillez-les et costumez-les selon leurs désirs tout en tenant compte des accessoires dont vous disposez. N'oubliez pas les bâtons de majorette (une branchette peinte en blanc pourra faire l'affaire), les cymbales (deux couvercles de casserole), les drapeaux (fabriquez-en à l'aide de grandes retailles de tissu et de manches à balai) et la trompette (fixez un entonnoir de plastique à un rouleau d'essuie-tout vide). Incluez un ou deux clowns dans le groupe et montrez-leur à jongler avec des mouchoirs. Parés pour le défilé? En avant marche! Une... Deux... Trois!

17 août

Jeanne d'Arc

Tout d'abord, il convient de désigner au hasard le joueur qui devra assumer le rôle de Jeanne d'Arc. Comme la célèbre pucelle d'Orléans, ce dernier entendra des voix... sans être en mesure, bien sûr, de distinguer de *visu* la personne qui lui a parlé! Son objectif? Deviner l'identité de son interlocuteur. Pour corser la chose, on choisit un terrain assez vaste et on prend soin d'envoyer Jeanne le plus loin possible des autres participants, qui se mettent alors à lui parler très fort, en déguisant leur voix et en l'apostrophant tous en même temps. Ils doivent faire tout cela en circulant et en se passant un objet de main à main, par exemple un foulard. Après quelques secondes de joyeuse cacophonie, Jeanne lève les bras au ciel. Les participants se taisent immédiatement, tandis que le porteur du foulard se met à crier, en déguisant sa voix s'il le désire: «Jeanne, m'entends-tu? Jeanne me reconnais-tu?» Qu'il soit ou non démasqué, le porteur du foulard se voit automatiquement attribuer le rôle de Jeanne, tandis que celle-ci va rejoindre le groupe... Et tout recommence.

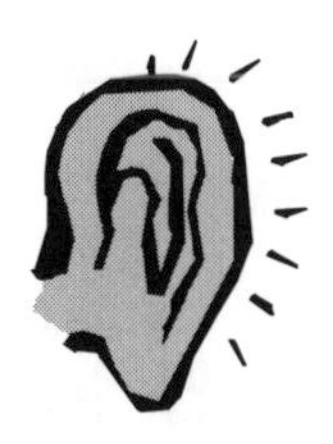

18 août

Le parachutiste

Créez avec votre enfant un superbe parachute! Rien de plus facile. Utilisez un petit sac-poubelle blanc et découpez-le de manière à obtenir une forme rectangulaire. À l'aide d'une aiguille, percez un trou dans chacun des coins. Accrochez-y quatre cordelettes et laissez pendre une bonne longueur de chacune d'entre elles avant de les nouer ensemble autour d'un petit objet très léger (par exemple, un bouchon de liège décoré au marqueur de manière à représenter un as du parachutisme). Il n'y a plus ensuite qu'à laisser tomber le parachute du haut d'un balcon! Votre enfant devra peut-être faire plusieurs essais ou modifier certains détails (longueur des ficelles, poids de l'objet, etc.) avant d'en arriver à pouvoir observer une descente parfaite... À l'instar du vrai parachutisme, fabriquer un parachute représente une aventure et un véritable défi!

19 août

Ballon sans main

Les enfants s'ennuient? Sortez un ballon assez léger et invitez-les à relever le défi! Il s'agit tout simplement de s'envoyer et de renvoyer le ballon sans utiliser les mains. Épaule, tête, genou, coude, dos ou toute autre partie du corps sont autorisés. Il n'y a ni gagnant ni perdant. L'émulation est collective, on compte les coups réussis et, chaque fois, le groupe tente de battre son propre record.

20 août

Le bouchon

Vous possédez un jeu de cartes et un petit bouchon de liège? C'est tout ce qu'il faut pour vous amuser un jour de pluie. Mêlez les cartes et séparez-les en deux paquets égaux. Chaque joueur pose sa pile devant lui, face cachée, tandis qu'on dispose le bouchon au centre de la table. Au signal, — un, deux, trois! — les joueurs retournent en même temps la première carte de leur pile et la déposent devant eux. On procède ainsi jusqu'à ce que les cartes dévoilées en même temps soient de même valeur (deux as, deux dix, etc.): les joueurs doivent alors chercher à s'emparer du bouchon. Le premier qui y parvient empoche les cartes découvertes (les siennes et celles de l'adversaire). Et on recommence. Lorsque la pile est épuisée, on compte le nombre de cartes empochées par chacun des joueurs: celui qui en a récolté le plus remporte la partie!

21 août

Cacophonie animale

Procurez-vous des bâtons et des tubes de maquillage de différentes couleurs, non allergène et se lavant à l'eau, expressément conçu pour les déguisements et les fêtes d'enfants. Cet investissement vaudra le coup car ce matériel se conserve longtemps et pourra servir en de multiples occasions. Maquillez les enfants de manière à les transformer en différents animaux; utilisez des accessoires, au besoin, pour obtenir, par exemple, la ménagerie suivante: vache, serpent, tigre, lion, éléphant, ours. Demandez-leur ensuite d'imiter le cri de ces animaux. Enfin, apprenez-leur les verbes appropriés pour désigner les différents cris: la vache meugle, le serpent siffle, le tigre feule, le lion rugit, l'éléphant barrit et l'ours gronde. Dès lors, le jeu peut commencer. Invitez les enfants à former une ronde et à pousser en même temps le cri des animaux qu'ils représentent. Muni d'un sifflet, mettez un terme à la cacophonie et nommez le prénom d'un joueur, qui devra aller se placer au centre du cercle. Puis, nommez un des animaux, par exemple «serpent». L'enfant déguisé en serpent pousse alors son cri et le joueur du centre doit énoncer le verbe approprié, ici «siffler». S'il réussit, vous lui accordez un point. D'une façon ou d'une autre, le jeu reprend, on recommence à faire la ronde, un autre joueur est interpellé, et ainsi de suite... Bref, cette activité permettra à votre enfant d'enrichir son vocabulaire tout en s'amusant ferme.

22 août

Drôle de proverbe!

«Qui aime bien... perd sa place» ou «Un de perdu... deux tu l'auras» ou encore «Un homme averti... n'est pas coutume», voilà des proverbes bizarres à la morale étrange qui en feront sourire plusieurs. On peut en obtenir de semblables en demandant à tous les joueurs de penser à un proverbe (on consulte le dictionnaire au besoin); puis, on leur passe deux morceaux de papier. Ils devront séparer leur proverbe en deux, en écrivant la première partie de la phrase sur le papier numéro 1, qu'ils déposeront dans un bol ou un sac, et la seconde sur le papier numéro 2, à déposer dans un autre contenant. (Pour obtenir un éventail de possibilités plus large, on peut aussi demander aux participants d'écrire deux ou trois proverbes plutôt qu'un seul.) À tour de rôle, les joueurs pigent leurs deux petits billets et lisent à voix haute le drôle de proverbe ainsi obtenu. Celui dont le proverbe est jugé le plus absurde ou le plus loufoque remporte la partie!

23 août

Le limbo

Sortez le magnétophone portatif et mettez de la musique des îles pour créer une ambiance tout à fait propice au limbo! Deux participants doivent tenir les extrémités d'un manche à balai qu'ils élèvent à la hauteur de leur tête... Les autres joueurs forment une file indienne et avancent lentement, en dansant, jusqu'au limbo, sous lequel ils devront passer, à tour de rôle. Attention! il est interdit de se pencher vers l'avant! Il faut passer sous le limbo en penchant le haut du corps vers l'arrière et en pliant les genoux. Chaque fois qu'un tour complet des participants a été effectué, les deux joueurs qui tiennent le limbo doivent l'abaisser légèrement de manière à corser de plus en plus l'épreuve. Lorsqu'un joueur ne réussit pas à passer sous l'obstacle en respectant les règles, il est automatiquement éliminé. On continue ainsi jusqu'à ce qu'il ne reste plus qu'un joueur en lice... Quelle souplesse!

24 août

La théorie des dominos

Vous possédez un jeu de dominos? Excellent! Bien sûr, vous pouvez jouer une partie traditionnelle avec votre enfant mais, une fois celle-ci terminée, ne rangez rien! Montrez-lui comment faire un parcours de dominos en les mettant debout et en suivant un trajet comprenant des zigzags, des courbes, des déviations et des angles arrondis. Puis, invitez votre enfant à pousser du doigt le premier domino, qui entraînera dans sa chute tous les autres dominos suivants. Voilà ce qu'on appelle une réaction en chaîne! Une fois qu'il a compris le principe, suggérez-lui d'élaborer son propre parcours. Conseillez-le au besoin, mais laissez-le faire ses expériences... On apprend de nos succès mais aussi de nos échecs... Si les dominos cessent tout à coup de s'écrouler, il constatera de lui-même ce qui en est la cause (un espace trop grand, un angle trop abrupt, etc.) et il tentera un nouvel essai!

25 août

Le combat de coqs

L'activité se pratique à deux... mais, lorsqu'il y a un public pour réchauffer l'atmosphère, c'est encore mieux! On commence par tracer un cercle suffisamment grand pour que deux coqs puissent s'y mouvoir. Deux coqs? Pas des vrais, bien sûr... quoique vous puissiez décider d'arborer, pour l'occasion, un chandail multicolore et une belle casquette rouge! Trêve de plaisanteries! Deux joueurs doivent entrer dans le cercle et s'y tenir en position accroupie, les mains sur les hanches. Au signal, le combat peut commencer. L'objectif? Faire sortir l'autre coq du cercle en avançant vers lui et en le poussant légèrement, avec le corps seulement, toujours en se tenant dans la position indiquée plus haut. C'est loin d'être aussi facile que cela en a l'air! Par ailleurs, c'est un très bon exercice. Un conseil cependant: évitez les surfaces asphaltées et optez plutôt pour un sol sablonneux ou gazonné!

26 août

Ballon milieu

Voici un jeu fort populaire qui peut se pratiquer dans une cour d'école, dans une ruelle, dans la cour arrière ou sur tout autre terrain plat. On divise un grand terrain en trois parties égales, deux zones situées à chacune des extrémités et un espace neutre au milieu. Les participants forment alors deux équipes qui, tout en se faisant face, vont prendre place dans leurs zones respectives situées aux extrémités tandis qu'un seul joueur se retrouve dans la zone neutre au milieu. Le but du jeu consiste à toucher le joueur du milieu à l'aide d'un ballon. Ce joueur, constamment en mouvement, doit tenter d'éviter d'être touché par le ballon. S'il l'attrape sans le laisser tomber ou s'il est touché par le ballon après que celui-ci a fait un bond au sol, il demeure sauf. S'il est parvenu à attraper le ballon, il le relance à un autre joueur situé le plus loin possible de la zone du milieu et le jeu reprend de plus belle. Cependant, dès qu'un des joueurs parvient à toucher le joueur du milieu avec le ballon, ce dernier doit alors céder sa place à celui qui a réussi le coup. Si le nombre de participants est très élevé, soit plus de sept joueurs, deux participants peuvent alors prendre place au milieu. Attention! il ne faut jamais viser le visage ou la tête d'un joueur!

27 août

Protéger sa quille

Munissez-vous d'autant de bouteilles de plastique vides qu'il y a de joueurs. Si vous le pouvez, mettez une petite quantité de sable dans ces bouteilles de manière à les stabiliser (mais pas trop). Chaque joueur se voit alors remettre sa «quille», qu'il devra protéger des attaques des autres participants. On invite ensuite les enfants à se disperser et on met un ballon en circulation (si plus de cinq enfants participent au jeu, on peut utiliser deux ballons). Le but du jeu consiste à faire tomber les quilles des adversaires tout en tentant de protéger la sienne! Gare aux feintes, aux ruses et aux lancers des autres joueurs, bien sûr, mais il faut aussi prendre garde à ses propres mouvements de pied, qui peuvent être tout aussi dangereux!

28 août

Costume à relais

Voici un jeu amusant qui exige rapidité et dextérité et qui se révèle idéal pour un groupe d'au moins six enfants. Formez deux équipes de trois joueurs (trois équipes si neuf enfants sont présents, etc.) et invitez-les à prendre place derrière une ligne de départ préalablement tracée à la craie. À quelque quatre ou cinq mètres de cette ligne, déposez autant de bacs en plastique qu'il y a d'équipes. Dans chacun de ces bacs (un cerceau ou un grand sac ferait aussi l'affaire) vous aurez déposé: une paire de bottes d'adulte, une casquette et une paire de mitaines ou de gants. Au signal, le capitaine de chaque équipe s'élance vers son bac, enfile les mitaines et retourne en courant derrière la ligne de départ. Il doit alors enlever ses mitaines, les passer au deuxième membre de son équipe, qui, dès qu'il les a enfilées, s'élance à son tour vers le bac. Il enfile alors les bottes, retourne à la ligne de départ, enlève ses accessoires et les refile au troisième larron, qui, vous l'aurez deviné, doit courir à toutes jambes vers le bac, mettre la casquette, rejoindre ses coéquipiers, enlever tous les éléments de son costume (bottes, casquette et mitaines) et les refiler à son capitaine, qui doit s'en revêtir. L'équipe qui parvient la première à habiller son capitaine de pied en cap remporte l'épreuve!

29 août

Château de cartes

Sortez un ou plusieurs paquets de cartes et déposez-les devant votre enfant en l'invitant à s'en servir pour construire de petites maisons. À mesure qu'il devient plus habile, proposez-lui d'élaborer des projets plus imposants tels qu'une pyramide ou un château. Vous pouvez également entreprendre une compétition: celui qui construit la tour la plus haute, etc. Voilà une activité calme qui se révèle parfaite pour les jours de pluie ou les soirées où l'on a envie d'un peu de silence autour de soi. En outre, elle permettra à votre enfant d'exercer sa patience tout en développant sa dextérité manuelle et sa capacité de concentration.

30 août

La carte du ciel

Dites aux enfants que vous avez le don de pouvoir prédire l'avenir. Ils en doutent? Demandez alors si quelqu'un est intéressé à ce que vous lui fassiez sa carte du ciel, à partir de laquelle il vous sera possible d'avoir une idée de ce que le futur lui réserve. Un enfant s'est proposé? Parfait. Invitez tout le monde à prendre place autour de la table. Sortez alors une feuille de papier, une pièce de monnaie et un crayon à mine. Demandez à l'enfant sa date de naissance et inscrivez-la en haut de la feuille. Puis, dites-lui que vous avez besoin de savoir quelle était la position des planètes représentant la chance, l'amour et la mort le jour même où il est né. Expliquez-lui que pour obtenir cette information, vous avez besoin qu'il fasse tomber trois fois une pièce de monnaie sur la feuille qu'il a devant lui. Montre-lui comment procéder en prenant vous-même la pièce entre votre pouce et votre index, en la faisant rouler à partir du haut de son front, en suivant l'arête de son nez, en passant sur ses lèvres et sur son menton, puis, en la laissant glisser de manière à ce qu'elle tombe sur la feuille. Invitez-le ensuite à faire lui-même la manœuvre. Une fois que la pièce est tombée sur la feuille, prenez le crayon à mine et passez-le plusieurs fois autour de la pièce de manière à reproduire avec exactitude la position de la première planète (allez-y de vos commentaires en lui disant que la chance lui sourira pendant de nombreuses années, etc.). Puis, rendez-lui la pièce et demandez-lui de recommencer, en lui disant que cette fois il s'agit de la planète représentant l'amour. Procédez de la même manière que précédemment, en utilisant le crayon, et recommencez une dernière fois pour la planète représentant la mort. Enfin, examinez attentivement sa carte du ciel et... prédisez-lui que dans les cinq prochaines minutes, il va se rendre à la salle de bains et se laver le visage! Tous ses amis pourront alors cesser de réprimer leur fou rire devant la belle trace noire que le pauvre volontaire arbore au beau milieu du visage!

31 août

Le détecteur de mensonges

Cette activité s'inspire d'un jeu télévisé où le public est invité à «détecter» lequel des événements autobiographiques racontés par un artiste invité constitue un mensonge. Pour y jouer à la maison, rien de plus simple. Il suffit de pouvoir compter sur la présence d'au moins trois enfants. L'un d'entre eux, désigné au hasard, devra faire trois affirmations dont deux seulement seront des vérités. Par exemple: 1) Je me suis cassé la jambe en faisant du ski; 2) J'ai monté sur le dos d'un éléphant; et 3) J'ai été mordu par un chien féroce. En tant que meneur de jeu, vous devez faire venir l'enfant à l'écart et lui demander, loin des oreilles indiscrètes, laquelle de ses trois affirmations constitue son mensonge. Puis, retournez dans la pièce où le groupe est réuni. Chaque participant pourra alors lui poser, à tour de rôle, deux questions auxquelles il devra répondre de manière précise ou évasive, en ajoutant force détails, en répondant de manière directe et concise, ou au contraire en faisant de grands détours avant d'arriver à la réponse finale. Une fois que les participants ont tous posé leurs questions, ils doivent, chacun leur tour, dire à voix haute laquelle des affirmations constitue, selon eux, le mensonge. Roulements de tambour... Que la lumière soit! Le conteur révèle ce qu'il en est vraiment. On inverse alors les rôles. Une fois que tous les joueurs sont passés au détecteur, celui qui a réussi à confondre le plus de participants se voit remettre le trophée du meilleur menteur!

1er septembre

Le pro de la photo

Aujourd'hui, initiez votre enfant à l'art de la photographie! Montrez-lui comment fonctionne l'appareil et apprenez-lui à bien cadrer ce qu'il veut photographier. Proposez-lui de faire des photos à l'intérieur (rappelez-lui d'utiliser le flash!) et à l'extérieur (insistez alors sur l'importance d'utiliser au mieux la lumière naturelle). Vous pouvez aussi lui suggérer de diversifier ses sujets (personnes, objets, paysages) et lui expliquer comment faire des prises de vue variées: plongée (du haut vers le bas), contre-plongée (du bas vers le haut), gros plans (un visage ou un objet), plans rapprochés (par exemple, le haut du corps), plans moyens (une personne ou un objet dans sa totalité), plans larges (une vue d'ensemble). Clic! Clic! Habituez-vous vite à ce bruit car votre enfant risque bel et bien d'éprouver une véritable passion pour cette activité qui le conduira à développer sa concentration, son sens de l'observation et sa créativité…

2 septembre

Les petites bagnoles

Vous avez quelques boîtes de carton vides, un bristol noir, de la colle, des marqueurs et deux cordelettes? Vous possédez alors tout ce qu'il faut pour fabriquer de mignonnes petites bagnoles qui amuseront votre enfant des heures durant. Pour les confectionner, rien de plus simple. Commencez par ôter le fond de la boîte, puis repliez les pans du dessus en les ramenant à l'intérieur de manière à bien solidifier le tout. Il importe ensuite de décorer minutieusement la bagnole: phares, plaque d'immatriculation, coffre, pare-chocs, portières, calandre, etc. N'oubliez pas les quatre pneus à découper dans du bristol noir et à fixer ensuite de part et d'autre de la boîte à l'aide d'un bâton de colle non toxique. Découpez également un volant et collez-le à l'endroit approprié. Enfin, percez deux trous de chaque côté de la boîte (là où les portières ont été dessinées) et passez-y une cordelette en faisant des nœuds à l'intérieur pour la maintenir en place. Vous obtiendrez ainsi des «bretelles» qui permettront à votre enfant de partir pour une longue balade au volant de sa voiture... Attention aux excès de vitesse!

3 septembre

Théâtre d'été

Le temps est doux, le ciel est clair et le soleil brillant? C'est donc une journée parfaite pour donner une représentation théâtrale en plein air. Il faut aussi, évidemment, pouvoir compter sur une petite troupe composée d'au moins trois ou quatre comédiens. Dès lors, convenez ensemble de la pièce que vous voulez monter. Pour les plus jeunes, optez pour des contes de fées ou de petites histoires qu'ils connaissent bien comme *Boucle d'Or et les trois ours*, *Les trois petits cochons*, *Le petit Chaperon rouge* ou *Pierre et le loup*! Pour les plus vieux, vous pourriez proposer quelque chose de plus ambitieux comme *Le Petit Prince*. Commencez par distribuer les rôles, au hasard ou selon les goûts de chacun. Puis, passez aux répétitions. Enfin, sortez votre malle à costumes et à accessoires, maquillez les membres de la troupe et montez le décor en faisant appel à l'imagination de tous. Dès lors, il n'y a plus qu'à installer une rangée de chaises dans la cour arrière et à inviter parents, amis ou voisins à assister au spectacle.

4 septembre

J'ai grandi! J'ai grossi!

À l'approche de l'automne, il faut penser à renouveler la garde-robe de votre enfant mais, auparavant, il convient de faire le tri dans tous ses vêtements en mettant de côté ce qui lui va encore et ce qui est devenu trop petit! Pourquoi ne pas rendre cette corvée amusante et en profiter, vous aussi, pour passer votre garde-robe au crible? Disposez sur votre lit les vêtements dont vous n'êtes pas certain qu'ils vous aillent encore comme un gant. Puis, rendez-vous dans la chambre de votre enfant et faites de même avec ses propres vêtements. Au signal, procédez chacun à l'essayage d'un ensemble coordonné et tentez d'arriver le premier à un point de rencontre, par exemple devant le miroir en pied. Déjà, la course apportera un peu de piquant à cette corvée obligée… mais que dire des éclats de rire qui vont fuser devant la mine déconfite d'un adulte qui n'arrive plus à boutonner son veston, voire qui étouffe dans son vieux blue-jean? Ceci, sans compter l'air égaré d'un enfant dans un pantalon qui a soudainement l'apparence d'un bermuda!

5 septembre

Allez! Du balai!

Voici un jeu qui demande peu d'accessoires — seulement deux balais! — mais beaucoup d'adresse. Choisissez un terrain, tracez une ligne de départ et, environ huit mètres plus loin, tracez une seconde ligne. Ensuite, il s'agit de se placer côte à côte sur la ligne de départ (si on est plusieurs, on forme deux équipes de deux ou trois joueurs). Prêts à jouer? Les joueurs, les deux pieds sur la ligne de départ, déposent dans le creux de leur main le manche d'un balai et tentent de le maintenir ainsi, à la verticale et en équilibre, tandis qu'ils placent l'autre main derrière leur dos. Dès lors, l'objectif est d'entreprendre une course, tout en portant le balai, qui les conduira jusqu'à la seconde ligne, où ils devront faire un arrêt, avant de revenir, à reculons, jusqu'à la ligne de départ. Le premier joueur qui revient au point de départ sans faire tomber le balai remporte la palme. Si le jeu se pratique à plusieurs, un point est alors accordé à l'équipe du joueur qui a réussi à relever le défi. Puis, c'est au tour des autres joueurs de s'exécuter. L'équipe gagnante est alors celle qui a réussi à accumuler le plus de points.

Variante: Si les enfants sont très jeunes, on peut remplacer le balai par une règle en bois.

6 septembre

Sur la paille

Vous disposez, dans votre placard de cuisine, d'une boîte de pailles multicolores? Vous avez également à votre disposition des petits plateaux de styromousse comme ceux qui servent à l'emballage des viandes à l'épicerie? Vous avez alors tout ce qu'il faut pour permettre à votre enfant de réaliser des échafaudages de toutes sortes, voire des sculptures tout à fait originales. Il suffit de disposer un plateau à l'envers sur la table et d'y insérer les premières pailles de manière à créer une base solide. Ensuite, place à l'imagination! On insère des pailles les unes dans les autres, en les pliant et repliant, de manière à créer un immeuble, une girafe, une maison, une fleur, bref, tout ce qui nous passe par la tête!

7 septembre

Ranger et classer

Quand on conjugue vie de famille et vie professionnelle, on est souvent obligé de remettre certaines tâches ou activités au lendemain car les journées n'ont que 24 heures! Classer et ranger les photos de famille qui se sont accumulées au fil des mois — voire des années! — font souvent partie de ces activités que l'on repousse à plus tard. Toutefois, avec l'aide d'un petit assistant, il est possible de venir à bout de cette tâche et même de la transformer en une véritable partie de plaisir!

8 septembre

Les gros titres

Vous avez accumulé deux ou trois vieux journaux et vous vous apprêtez à les mettre dans le bac à récupération? N'en faites rien! Du moins pas tout de suite! Plutôt, jouez aux gros titres. Remettez un vieux journal à chacun des joueurs, ainsi qu'une grande feuille blanche, des ciseaux et un bâton de colle. Puis, sur une feuille de papier, inscrivez une phrase de quelques mots, par exemple: «Aujourd'hui, je me rendrai à l'école en limousine». À l'aide de leur vieux journal, les joueurs devront alors, le plus vite possible, reconstituer la phrase d'origine. Pour ce faire, ils devront découper, uniquement dans les titres des articles, les lettres nécessaires. Ils auront ensuite à coller ces lettres sur leur feuille blanche. Le premier joueur qui aura terminé sa tâche sera déclaré gagnant.

9 septembre

Mangeoires originales

Votre enfant va adorer fabriquer ces mangeoires toutes simples qu'il pourra ensuite accrocher à la branche d'un arbre! Des oiseaux prendront vite l'habitude de s'y nourrir et, dès lors, il pourra les observer avec attention tout en éprouvant le plaisir d'avoir fait une bonne action pour ses petits amis ailés. Vous avez un gros pamplemousse dans votre frigo? Coupez-le en deux et mangez-en au petit déjeuner, en compagnie de votre enfant qui fera ainsi le plein de vitamines! Une fois que les moitiés auront été vidées de leur contenu, vous devrez procéder ainsi pour chacune d'entre elles:

- Percez trois trous à égale distance les uns des autres et ce, dans la partie supérieure de l'écorce, à 2 cm environ du bord;
- Prenez une cordelette et coupez-en trois longueurs d'environ 60 cm. Passez-en une dans chacun des trous du demi-pamplemousse, en allant de l'intérieur vers l'extérieur, et fixez-les ensemble en faisant un solide nœud sous le fruit;
- Quant aux autres extrémités, nouez-les ensemble après avoir laissé libre une longueur d'environ 35 cm (la partie supérieure restante vous servira à accrocher la mangeoire à la branche d'un arbre).
- Remplissez la mangeoire d'un mélange de graines pour les oiseaux ou préparez-leur un véritable petit festin maison: un mélange de graines de tournesol, de raisins et de beurre d'arachide.

Accrochez la mangeoire et attendez... Bientôt, de magnifiques chants d'oiseaux se feront entendre...

10 septembre

Qu'est-ce donc?

Voici une activité qui permettra à votre enfant d'exercer son ouïe, sa logique et sa capacité de déduction! Pour y jouer, vous n'avez besoin que d'un contenant métallique ou de plastique, bien opaque et muni d'un couvercle. Partez ensuite à la recherche de petits objets qui pourront facilement être dissimulés dans ce contenant. Assurez-vous que ces objets soient de formes diverses et, surtout, composés de matières différentes: une petite voiture métallique, une balle de ping-pong et une autre en caoutchouc, un dé à jouer et un dé à coudre, des pièces de monnaie et des boutons feront parfaitement l'affaire. Déposez tous ces objets sur la table. Permettez alors à votre enfant d'y jeter un bref coup d'œil, puis, demandez-lui de sortir de la pièce quelques secondes. Durant son absence, choisissez un objet et mettez-le dans le contenant muni d'un couvercle. Recouvrez la table d'une grande nappe et invitez votre enfant à revenir dans la pièce. Donnez-lui le contenant et demandez-lui de deviner quel objet s'y trouve. Il pourra bien sûr secouer légèrement la boîte, voire la renverser, afin d'être en mesure, en écoutant le son que fait l'objet, de trouver la bonne réponse! Inversez ensuite les rôles... Vous verrez qu'il n'est pas toujours facile de relever ce défi!

11 septembre

Allons aux pommes!

Il fait beau mais pas trop chaud? C'est le temps idéal pour cueillir des pommes au verger. Soyez certain que votre enfant prendra beaucoup de plaisir à constituer sa propre récolte tout en profitant au maximum d'une belle journée de plein air! Plusieurs propriétaires de vergers organisent des activités spécifiquement destinées aux enfants afin de leur révéler les multiples secrets des produits dérivés pouvant être obtenus de ce fruit (cidre, compote, gelée ou jus) ou encore leur proposent de petits tests pour les amener à reconnaître les différentes variétés existantes (Lobo, Macintosh, Granny, etc.). Informez-vous au préalable des activités au programme de sorte que votre enfant puisse retirer le maximum de bénéfices de sa journée de cueillette!

12 septembre

Auteur-compositeur-interprète

Proposez à votre enfant d'écrire une chanson! Invitez-le à composer des paroles tout à fait originales en utilisant les noms de ses copains ou les noms des rues du quartier. Il pourrait tout autant raconter quelque chose qui lui est arrivé, parler de son école ou de sa famille ou encore choisir un sujet qui le passionne (les dinosaures?) ou lui tient à cœur (l'écologie?). Au gré de sa fantaisie, il pourra chanter *a capella* ou recourir à divers instruments de l'orchestre. Autres options? Choisir une pièce instrumentale et y ajouter des paroles ou encore opter pour un air connu tout en changeant le texte! Et si vous avez un magnétophone doté d'un micro, ne manquez pas d'enregistrer ses performances!

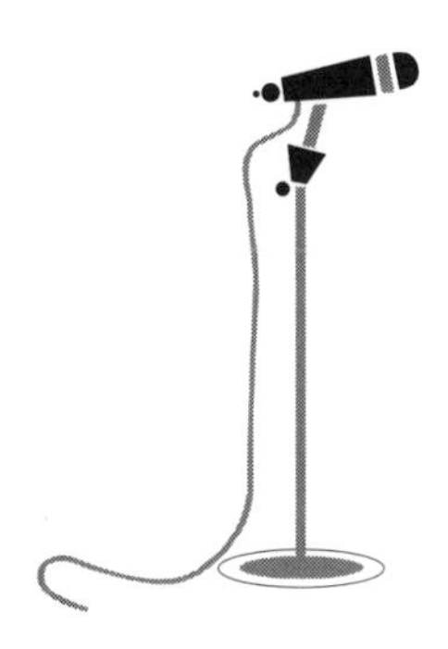

13 septembre

Napperon mignon

Vous avez des pelotes de laine acrylique de différentes couleurs? Oui! Alors, initiez votre enfant à la technique des napperons tressés. Le procédé est fort simple. Munissez-vous de trois pelotes de laine et déroulez-en une bonne partie avant de faire une coupe. Puis, après avoir noué ensemble les trois extrémités, commencez à faire une très longue tresse qui pourra ensuite être enroulée, à plat, de manière à former un joli napperon tout rond et coloré!

Vous devrez faire quelques points de couture à la main, par-dessous, afin que le napperon reste bien formé. Une autre façon de faire consiste à découper une forme ronde de même grandeur, dans du carton épais, sur laquelle on dépose une bonne quantité de colle blanche avant d'y déposer le napperon tressé, qui pourra aussi servir de centre de table!

14 septembre

Pommes au dessert

Aujourd'hui, mettez à profit plusieurs de ces belles pommes que votre enfant et vous avez ramenées du verger. Demandez à votre petit cuistot de vous donner un coup de main... cela l'amusera et, en outre, il sera largement récompensé par le véritable délice qui en résultera! Vous aurez besoin des ingrédients suivants:

- 6 pommes
- 24 clous de girofle
- 1 citron
- 250 ml (1 tasse) de sucre
- 250 ml (1 tasse) d'eau
- 250 ml (1 tasse) de crème à fouetter

Coupez les pommes en quartiers, enlevez la pelure et retirez les cœurs. Puis, demandez à votre enfant de planter un clou de girofle dans chaque quartier. Autre tâche qu'il pourra faire, presser un citron et en verser le jus sur les pommes. Pendant ce temps, faites bouillir le sucre et l'eau dans une casserole jusqu'à ce que le sucre soit complètement dissous. Placez ensuite les pommes dans la casserole et badigeonnez-les bien avec le sirop qui s'y trouve. Laissez mijoter à couvert, à feu doux, durant trois minutes. Badigeonnez, laissez mijoter encore trois minutes, badigeonnez de nouveau et retirez la casserole du feu. Vous pouvez alors demander à votre enfant de fouetter la crème jusqu'à ce qu'elle épaississe. Enfin, on dépose la crème fouettée sur les pommes juste avant de servir. Miam! Ça réveille les papilles gustatives!

15 septembre

Le monde des arbres

Les feuilles des arbres commencent déjà à rougir? Pour mieux profiter du spectacle, vous avez prévu faire une promenade au parc ou en forêt? Quelle excellente idée! Avant de partir, jetez un coup d'œil dans vos ouvrages de référence ou faites un saut à la bibliothèque afin d'emprunter un guide sur les arbres et les plantes de votre région. Dès lors, partez à la découverte du monde merveilleux des arbres. Avec votre enfant, examinez la forme de leur tronc, de leurs branches et de leurs feuilles. Comparez vos informations avec celles qui figurent dans votre petit guide. S'agit-il d'un saule? d'un peuplier? d'un érable? d'un tremble? Pourquoi? Comment en être certain? Laissez votre enfant feuilleter l'ouvrage, formuler ses propres hypothèses et en tirer les conclusions qui s'imposent. Invitez-le à noter ses découvertes avant de partir en quête de nouvelles espèces.

16 septembre

Tarapatapom!

Il vous reste encore des pommes de votre récente cueillette? Tant mieux car vous en aurez besoin ainsi que de deux cuillères. Formez deux équipes de deux joueurs, puis tracez une ligne de départ et une ligne d'arrivée. Chaque équipe doit placer un joueur sur la ligne de départ et un autre sur la ligne d'arrivée. Les deux joueurs placés sur la ligne de départ déposent une pomme dans une cuillère qu'ils doivent tenir entre le pouce et l'index de la main gauche seulement. Chaque joueur doit, d'un pas rapide, transporter la pomme jusqu'à la ligne d'arrivée. Il doit alors déposer la pomme dans le creux des mains de son coéquipier, qui, de son côté, doit retourner à la ligne de départ en tenant la pomme entre ses dents. L'objectif consiste à ne pas laisser la pomme tomber par terre. Si cela se produit, il faut immédiatement appeler le meneur de jeu — vous en l'occurrence — qui a justement quelques pommes en sa possession juste au cas où! Le meneur remet alors une autre pomme au joueur, qui reprend tout de suite sa course. L'équipe qui revient la première à la ligne de départ est déclarée championne et ses membres... peuvent manger les pommes!

17 septembre

Quel âne!

On peut bien sûr se procurer un jeu de l'âne — idéal pour une fête d'enfants — dans la plupart des grandes surfaces ainsi que dans la majorité des boutiques de jouets. Toutefois, rien n'empêche les enfants de fabriquer eux-mêmes leur propre jeu. Pour réaliser ce projet, il suffit d'un bristol, de quelques marqueurs, d'une paire de ciseaux et d'une roulette de ruban adhésif double face... On commence par découper, dans le bristol, une bande d'environ sept centimètres de large. On y dessine la queue de l'âne, tandis que sur le reste du bristol on dessine l'âne lui-même. On découpe minutieusement la queue — en prenant soin de poser à l'endos une bande de ruban adhésif — et, sur un mur, on colle le bristol où figure l'âne. À tour de rôle, les joueurs, placés à environ trois mètres du mur, doivent tenter, en ayant les yeux bandés, de coller la queue à l'endroit approprié. Après chaque performance, on inscrit, à l'aide d'un crayon à mine, les initiales du joueur à l'endroit exact où il a collé la queue. On remet la queue à un autre joueur et ainsi de suite, jusqu'à ce que tous les enfants aient tenté leur chance. On compare les résultats et celui qui a effectué la meilleure performance est déclaré vainqueur!

Variante: Plutôt qu'un âne et sa queue, on pourrait dessiner un éléphant et une trompe.

18 septembre

Le feu de la danse

Vous avez un peu de musique folklorique dans votre discothèque? Apprenez à votre enfant et à ses copains à virevolter selon les danses traditionnelles du pays. Pour agrémenter la chose, costumez et maquillez les enfants. Ajoutez quelques accessoires ou instruments de musique. Et n'oubliez pas de les prendre en photo! Enfin, absolument rien ne vous empêche de leur enseigner de manière rudimentaire d'autres danses typiques de certaines régions, voire d'autres pays. Tango? Danse cosaque? Flamenco? Gigue? Valse musette? Place à la danse et à la musique!

19 septembre

Quand l'appétit va, tout va!

Voici un jeu amusant et éducatif qui peut se dérouler partout et en tout temps, avec des enfants de tous âges. À tour de rôle, les joueurs doivent énoncer le nom d'un animal. L'autre joueur doit alors rapidement indiquer s'il s'agit d'un animal herbivore (qui mange des graines, des noix, des fruits ou des plantes), carnivore (qui mange de la viande) ou omnivore (qui mange de tout). Dans le doute, consultez un dictionnaire ou un livre sur les animaux. En voici une liste que vous pourrez bien sûr allonger comme il vous plaira:

- Herbivores: vache, poule, lapin, gorille, cerf...
- Carnivores: lion, chien, boa, tigre, hibou...
- Omnivores: ours brun, raton laveur, porc, renard...

20 septembre

Les capitales

Vous possédez un atlas à la maison? Jetez-y un coup d'œil avec votre enfant en portant une attention particulière aux noms des capitales des différents pays qui y sont représentés. Débutez de manière modeste en optant pour un seul continent (par exemple, l'Amérique) ou encore une région donnée (disons le nord de l'Europe). Une fois que vous avez révisé de concert vos notions de géographie, vous refermez l'atlas et... le jeu-questionnaire peut commencer. À tour de rôle, chaque joueur nomme un pays et demande à son vis-à-vis de trouver le nom de la capitale correspondante. Voici une petite liste, en vrac, que vous pourrez vous amuser à compléter:

- Canada (Ottawa)
- États-Unis (Washington)
- Mexique (Mexico)
- Venezuela (Caracas)
- Colombie (Bogota)
- Équateur (Quito)
- Brésil (Brasilia)
- Pérou (Lima)
- Bolivie (La Paz)
- Paraguay (Asunción)
- Uruguay (Montevideo)
- Chili (Santiago)
- Argentine (Buenos Aires)

21 septembre

Mobile automnal

Proposez à votre enfant de réaliser un superbe mobile automnal à l'aide de différents objets naturels. Partez en quête de feuilles aux couleurs éclatantes, de pommes de pin, de noix, de glands, de fleurs séchées, etc. Ramassez des branches mortes de différentes grandeurs et accrochez-y vos trouvailles. Suspendez le tout bien en vue. C'est simple, amusant et décoratif! Et surtout, c'est une excellente façon de souligner la venue de l'automne en cette journée du 21 septembre!

22 septembre

Flic flac floc!

Un gros orage vient de se terminer et déjà, les nuages se dissipent et le soleil commence à montrer le bout de son nez? Revêtez un vieux jeans, vos bottes de pluie, votre chapeau et votre ciré jaune, puis partez vous amuser dehors. Votre enfant adorera — avec votre permission — marcher dans la boue, sauter dans les flaques d'eau et secouer les branches des arbres pour faire «tomber la pluie». Pataugez dans l'eau, puis marchez à reculons en examinant vos empreintes! Faites la course avec pour obligation de poser le pied dans chacune des flaques qui parsèment le parcours. Ensuite, faites l'inverse, c'est-à-dire zigzaguer pour éviter de passer dans la flotte! Jouez au ballon et éclaboussez-vous à l'aide de rebonds stratégiques! Bref, donnez-vous-en à cœur joie!

23 septembre

Le vétérinaire

Votre enfant possède une véritable ménagerie peluchée? Aujourd'hui, proposez-lui d'être aux petits soins avec ses compagnons poilus! Transformez sa chambre en clinique vétérinaire! À l'aide d'un carton épais et de marqueurs, réalisez ensemble une superbe affiche: «Docteur Gabriel Pilon, médecine vétérinaire. Heures d'ouverture: du lundi au mercredi, de 9 h à 17 h». Invitez-le à enfiler l'une de vos vieilles blouses blanches; il aura l'air d'un vrai professionnel! Puis, partez en quête de bouteilles de plastique avec couvercles (mettez-y des céréales ou des raisins secs en guise de nourriture médicamentée), d'une lampe de poche (examen des oreilles oblige), d'un bâtonnet à café (examen de la bouche), d'un coton-tige (nettoyage des yeux), d'un rouleau de gaze (pour pattes cassées) et de quelques diachylons. À qui le tour? Nestor le castor ou Martin le lapin?

Variante: Si votre enfant est plus âgé et que vous avez un animal domestique à la maison, confiez-en la responsabilité à votre enfant. Il pourra donner le bain au chien, brosser la fourrure du chat ou encore nettoyer la cage du hamster! Il sera également appelé à divertir l'animal et à le nourrir avec toute la diligence requise par ses nouvelles fonctions!

24 septembre

Poupée de laine

Pour fabriquer une jolie poupée de laine décorative, rien de plus facile! Le matériel requis? Une petite boule (environ sept centimètres de diamètre) en styromousse, une pelote de laine acrylique, deux boutons, de la feutrine et des retailles de tissu, c'est tout! Il suffit de dérouler la pelote de laine et d'en couper de nombreux fils d'environ 80 cm. On passe ensuite ces fils autour de la boule de styromousse de manière à ce que leurs extrémités pendent de façon égale des 2 côtés. Une fois la boule recouverte (la tête), on serre bien fort tous les fils ensemble et on les attache à l'aide d'un brin que l'on noue solidement juste au-dessous (le cou) de la boule. On sépare alors les fils de laine en trois parties, la partie du centre, plus grosse, figurant le corps de la poupée, alors que de chaque côté on crée les bras. Pour chacun des bras, on noue un brin de laine au tout début de la forme, puis un autre à 12 cm de distance, tandis que l'on fait une coupe quelque 2 cm plus loin. En ce qui a trait au corps, on noue un brin de laine à environ 13 cm du cou, puis on sépare la laine restante en 2 de manière à créer les jambes, qui seront nouées dans le haut, puis tout près des extrémités. On pose les boutons pour les yeux, on colle des morceaux de feutrine pour la bouche, le nez, les joues et les sourcils, on ajoute des brins de laine d'une autre couleur pour les cheveux et on crée des vêtements et accessoires à l'aide des retailles de tissu! Avec un peu d'imagination, on peut réaliser un clown, un arlequin ou une princesse!

25 septembre

Les homonymes

Voilà un jeu que l'on peut pratiquer partout et qui n'exige absolument rien d'autre que... de la matière grise! Il s'agit simplement de penser à un homonyme que votre enfant aura pour tâche de deviner. Pour l'aider, vous lui poserez une énigme en rapport avec l'homonyme choisi. Par exemple, vous pourriez dire: «Je pense à une vaste étendue d'eau». Si votre enfant croit avoir deviné juste (s'il pense que l'homonyme est mer), il devra répondre de la même manière mais avec la définition de l'autre homonyme (par exemple mère) en disant: «Et moi je pense à toi, maman». Si la réponse est juste, vous lui accordez un point et vous inversez les rôles. Si toutefois il s'agissait d'une erreur (par exemple, si la définition évoquée plus haut avait référé non pas au mot *mer* mais à «lac», dont l'homonyme est «laque»), vous auriez obtenu un point. N'ayez crainte, il existe une multitude d'homonymes dans la langue française. En voici quelques-uns pour vous en convaincre:

- verre-ver-vert-vers-vair
- sang-cent-sans
- seau-sot-sceau
- ère-air-aire
- peau-pot
- père-pair-paire-pers
- maire-mer-mère
- pou-pouls
- sous-soûl-sou-soue
- tout-toux
- toi-toit
- voie-voix

26 septembre

Une murale

Vous disposez de quelques rouleaux de papier d'emballage blanc ou d'une bonne quantité de papier kraft? Recouvrez-en la moitié d'un mur de la maison et invitez votre enfant (et ses copains s'il y a lieu) à réaliser sur ce support une superbe murale! Vous pouvez suggérer un thème (la campagne, la forêt, la ferme, le zoo, la ville, etc.) ou proposer un concept (bande dessinée, graffitis et dessins diversifiés, conte illustré, etc.) mais ne cherchez pas à leur imposer quoi que ce soit: faites confiance aux artistes en herbe et laissez-les s'exprimer comme ils l'entendent! Vous verrez, les résultats seront impressionnants!

Note: Si vous proposez aux enfants d'utiliser de la gouache, veillez à recouvrir le plancher de vieux journaux afin d'éviter de malheureux dégâts. Si vous optez pour des marqueurs, choisissez les modèles non toxiques et lavables à l'eau.

27 septembre

Album de feuilles

Vous allez faire une promenade en forêt ou dans un parc très boisé afin d'admirer le véritable festival de couleurs qu'offre la nature en ce temps de l'année? Excellente idée! D'autant plus que pourrez inviter votre enfant à ramasser tout plein de feuilles aux formes et aux couleurs les plus diverses. Une fois de retour à la maison, il pourra alors se composer un magnifique album de feuilles séchées. Pour ce faire, vous pouvez vous procurer un album à photos traditionnel (dont chaque page est munie d'une mince pellicule de plastique) ou encore utiliser un cahier de type *scrapbook*. Toutefois, avant de penser à insérer ou à coller les feuilles dans l'album ou le cahier, il faudra les avoir mises à sécher à plat, entre deux essuie-tout sur lesquels on aura déposé un livre assez lourd en guise de presse. À l'aide d'un dictionnaire illustré, d'un ouvrage spécialisé ou de vos propres connaissances sur le sujet, identifiez les noms des arbres correspondant aux différentes feuilles et suggérez à votre enfant d'inscrire, au bas de chacune des pages de son album, l'origine de ses spécimens multicolores.

28 septembre

Que de feuilles!

Les feuilles mortes se ramassent à la pelle? Accumulez-les en un immense tas et invitez votre enfant à sauter dedans ou à les faire pleuvoir sur sa tête. Voilà un rituel d'automne à ne jamais oublier! Vous pouvez également choisir un objet (une balle ou un petit ballon, une pelle à sable, un vieux foulard, bref, n'importe quoi d'incassable!) à ensevelir dans le tas de feuilles. Au signal, les participants s'élancent et tentent de mettre la main dessus le plus rapidement possible. On joue autant de fois qu'on le désire, on s'amuse comme des fous et on profite au maximum de cette belle journée d'automne!

29 septembre

Commando écolo

Chaque automne, le jardinier a du pain sur la planche: il faut protéger certains arbustes, recouvrir les plates-bandes de paillis, arracher la mauvaise herbe, nettoyer le sol du jardin, etc. Demandez à votre enfant et à ses amis de vous aider dans ces multiples tâches. Il convient également de ramasser et mettre à la récupération tout ce qui serait susceptible de joncher le terrain. Débordez du cadre de votre cour arrière et, munis de sacs-poubelles et de gants, faites ensemble la chasse aux détritus qui ont envahi la ruelle, le parc... Avisez cependant les membres de votre commando écolo d'éviter de toucher à tout objet coupant, tranchant, piquant ou présentant quelque danger que ce soit. À la fin de la journée, le commando pourra se dire, avec fierté, qu'il a accompli quelque chose de concret pour l'environnement et le mieux-être des citoyens!

30 septembre

Photo-roman

Tel que suggéré pour l'activité du 1er septembre, vous avez commencé à initier votre enfant à l'art de la photographie? Bravo! Fort de ses réussites, il pourrait maintenant s'amuser à composer un photo-roman mettant en vedette les membres de sa famille. Pour ce faire, suggérez-lui de choisir une douzaine de photos parmi les différents clichés qu'il a en sa possession. Dès lors, il devra imaginer un scénario (une petite histoire) à partir des photos qu'il aura disposées bien à plat devant lui. Une fois qu'il aura trouvé un fil conducteur à son histoire, invitez-le à coller ses photos sur les pages d'un cahier (de type *scrapbook*) en mettant quatre photos par page et en laissant un bon espace au-dessus de chacune des photos. Pourquoi? Parce qu'il devra inventer de courts dialogues pour chacun de ses personnages! Comment? En utilisant une feuille de papier blanche, en y inscrivant de courtes phrases et en découpant le tout de manière à créer une bulle (comme pour les bandes dessinées) qu'il devra coller à l'endroit approprié (la bulle au-dessus de la photo et la pointe de cette bulle près de la tête du personnage). Résultat? Un photo-roman passionnant à conserver précieusement!

Variante: En suivant ce même principe, votre enfant pourrait fabriquer des affichettes humoristiques. Il n'a qu'à coller une photo sur un carton de couleur et à y apposer autant de bulles qu'il y a de personnages. Il convient alors de privilégier des phrases courtes comptant des onomatopées ainsi que des commentaires drôles ou sarcastiques!

1er octobre

Un carillon

Pourquoi ne pas orner votre portique ou votre balcon d'un joli carillon dont la musique pourra vous égayer des heures durant? Pour en fabriquer un aux couleurs de l'automne, vous aurez besoin d'une branche morte, d'un rouleau de ficelle, d'un morceau de carton, de quatre boîtes de conserve vides ainsi que de gouache orange, jaune et brune. Pour commencer, nettoyez les boîtes de conserve et assurez-vous que les rebords ne comportent aucune aspérité pouvant présenter un danger pour les petits doigts de votre enfant. Retournez ensuite les boîtes de conserve et percez un trou dans le fond de chacune d'elles. Puis, sortez peinture et pinceaux, et demandez à votre enfant de peindre des feuilles d'érable aux couleurs flamboyantes sur chacune des boîtes. Il est conseillé de faire un pochoir au préalable en utilisant un carton de type bristol. Pendant que la peinture sèche, coupez quatre bouts de ficelle et attachez-les à la branche, à égale distance les unes des autres. Une fois que les motifs peints sur les boîtes sont bien secs, passez l'extrémité des quatre ficelles dans les ouvertures que vous avez pratiquées dans les boîtes de conserve. Faites quatre gros nœuds pour maintenir le tout en place. Coupez alors environ 60 cm de ficelle que vous attacherez solidement aux 2 extrémités de la branche. Coupez ensuite un autre morceau de ficelle d'environ 40 cm. Accrochez-en l'une des extrémités au point central de la première ficelle et servez-vous de l'autre extrémité pour suspendre le carillon à l'endroit désiré. Au gré du vent, les «clochettes» s'entrechoqueront et donneront naissance à des mélodies des plus étranges et variées.

2 octobre

Le petit architecte

Pour des heures de plaisir garanti, procurez-vous une boîte de bâtonnets à café (en bois) et un gros pot de colle blanche non toxique. Laissez ensuite libre cours à l'imagination de votre enfant, qui pourra, à l'aide de ces matériaux, construire des maisonnettes, une église, un gratte-ciel, une gare, un avion, voire un nichoir pour les oiseaux! Vous pouvez cependant débuter par des projets moins ambitieux — un cadre, un sous-plat — mais tout aussi intéressants! En utilisant des contenants de yogourt ou des boîtes de conserve vides et en les recouvrant de bâtonnets qu'il aura préalablement peints à la gouache, votre enfant pourra créer de charmants pots susceptibles de recevoir fleurs, plantes ou crayons!

3 octobre

Pâte à modeler

Animaux rigolos, fruits, légumes, maisons, autos... on peut tout faire avec un peu d'imagination et de la pâte à modeler! Nul besoin de dépenser une fortune pour vous en procurer puisque vous avez tout ce qu'il faut à la maison pour en fabriquer vous-même! Voici la façon de procéder:

- Dans un bol, mélangez 250 ml (1 tasse) de farine et 10 ml (2 c. à thé) de crème de tartre;
- Versez, dans un second bol, 250 ml (1 tasse) d'eau chaude, 125 ml (1/2 tasse) de sel et quelques gouttes de colorant alimentaire rouge;
- Dans une petite casserole, chauffez 30 ml (2 c. à soupe) d'huile à feu doux;
- Incorporez les deux mélanges dans l'huile chaude en remuant constamment. Après 2 ou 3 minutes environ, le mélange devrait être pris en pain;
- Retirez la casserole du feu et déposez le mélange sur une feuille de papier ciré. Pétrissez le mélange de manière à obtenir une pâte uniforme. Conservez dans un sac de plastique hermétique ou dans un contenant de plastique muni d'un couvercle;
- Répétez avec du colorant alimentaire jaune, puis du bleu. Grâce à ces trois mélanges de base (bleu, jaune, rouge), vous pourrez obtenir, par de simples combinaisons, de la pâte verte, orange ou mauve. La pâte à modeler maison se conserve jusqu'à six mois si on prend soin de la ranger comme il se doit après chaque usage.

4 octobre

Dessins au pastel

Invitez votre enfant à réaliser de magnifiques portraits ou paysages au pastel. Procurez-vous des pastels à l'huile de différentes couleurs (six à huit bâtonnets suffisent) ainsi qu'une rame de papier approprié. Pour toutes ces choses, informez-vous auprès du marchand, qui pourra également vous suggérer de faire l'achat d'un vernis afin de protéger les œuvres de votre artiste en herbe. Une fois de retour à la maison, installez votre enfant près de la fenêtre ou d'une source lumineuse, donnez-lui son surtout et son matériel d'artiste, puis laissez-le dessiner au gré de son inspiration!

5 octobre

Critique de cinéma

Une comédie, un film d'aventures ou de science-fiction, ou encore un long métrage animé est présentement à l'affiche et votre enfant se meurt d'y aller? Accédez à sa demande et, après le visionnement, faites un arrêt dans un petit resto pour discuter tous les deux du film en sirotant une bonne tasse de chocolat chaud. Ouvrez la discussion en donnant votre point de vue sur la performance des comédiens, le scénario, les dialogues, les trucages ou tout autre aspect du film. Sans pour autant bombarder votre enfant de questions, amenez-le à verbaliser ses impressions, à préciser ce qu'il a particulièrement aimé ou détesté, et pourquoi, etc. Pour alimenter la discussion, comparez ce film à d'autres du même genre que vous avez eu l'occasion de visionner. Vous pourriez établir une petite grille très simple consistant à attribuer un certain nombre d'étoiles à chaque film que vous regarderez ensemble. Au retour, faites un saut à la bibliothèque et empruntez quelques ouvrages sur le cinéma qui pourront répondre à certaines de ses interrogations, que ce soit sur le plan de l'histoire du septième art, des techniques ou des trucages.

6 octobre

Le tour du monde

Si vous possédez un globe terrestre à la maison, ne le laissez pas moisir dans un coin ou au fond d'un placard! Installez-le bien en évidence à un endroit où il sera facilement accessible. Pourquoi pas dans la chambre de votre enfant? Un simple examen de la chose lui permettra de trouver réponse à plusieurs de ses interrogations. «Est-ce que c'est loin l'Afrique?» «Si on marche très très longtemps, est-ce qu'on peut se rendre au bout de la Terre?» «Où trouve-t-on des kangourous?» «Combien il y a d'océans?» Vous pourriez également jouer ensemble au globe tournant. Faites tourner le globe, arrêtez-le en posant votre doigt au hasard sur un pays ou un cours d'eau et demandez à votre enfant de deviner de quelle contrée ou de quel océan il s'agit. Puis, inversez les rôles. Si vous n'avez pas de globe terrestre, vous pouvez toujours vous adonner à ce jeu amusant et instructif avec un atlas ou des cartes géographiques.

7 octobre

À l'épicerie

C'est jour de marché aujourd'hui? Transformez cette corvée en aventures, en découvertes et en défis pour votre enfant. Dressez deux listes d'articles à acheter, l'une pour les fruits et légumes, dont votre enfant sera responsable, l'autre pour le reste des aliments, laquelle vous reviendra. Déterminez le budget associé à chacune des listes, munissez-vous d'une calculette et partez faire vos achats. Faites en sorte que le choix des aliments à mettre dans le panier et le respect du budget représentent à la fois un jeu et un défi à relever tout en fournissant à votre enfant l'occasion de mettre en pratique ses connaissances mathématiques. Explorez de concert les rayons et les étagères, demandez-lui d'identifier le nom des fruits, des légumes et des viandes qu'il connaît bien et montrez-lui des produits qui lui sont encore inconnus. Enfin, une fois vos deux paniers remplis des divers articles figurant sur vos listes respectives, y incluant les produits sélectionnés sur le coup de l'impulsion, passez à la caisse… Le consommateur qui a respecté au plus près le budget alloué remporte la palme!

8 octobre

Le céleri bicolore

Voici une petite expérience scientifique qui passionnera votre enfant tout en étant facile à réaliser. Prenez une grosse branche de céleri munie de belles feuilles vertes. À la base du céleri, séparez la branche en deux en y faisant une incision de 10 cm environ. Remplissez deux verres d'eau: dans l'un, déposez quelques gouttes de colorant alimentaire bleu, dans l'autre, du colorant rouge. Ensuite, placez une des moitiés du céleri dans le verre d'eau bleue et insérez l'autre moitié dans le verre d'eau rouge. Laissez reposer ainsi durant toute une nuit. Le lendemain matin, votre enfant pourra constater, non sans étonnement, qu'une partie du feuillage du céleri est devenue bleue tandis qu'une autre se pare d'une belle teinte rouge. Profitez-en alors pour expliquer à votre enfant que l'eau a circulé à travers les petits canaux du céleri qui vont de sa base au sommet et que c'est ce système qui permet au légume de se nourrir et de croître lorsque ses racines sont encore en terre.

9 octobre

Tableau feutré

Vous pouvez fabriquer un ingénieux tableau réversible en recouvrant simplement de feutrine chacun des côtés d'un carton épais et rigide mesurant environ 40 cm sur 20 cm. Vous pourriez ainsi coller, d'un côté, de la feutrine noire (pour les scènes de nuit), tandis que de l'autre vous mettrez de la feutrine bleue ou verte (pour les scènes de jour). Ensuite, taillez diverses formes géométriques et des silhouettes (soleil, étoiles, nuage, arbres, maison, animaux, personnages, etc.) dans de la feutrine de couleurs différentes. Votre enfant pourra alors réaliser ses propres compositions en posant les pièces de son choix sur l'un ou l'autre côté du tableau. Une fois l'œuvre terminée et exposée à la ronde, il pourra prélever les éléments de son tableau et refaire une toute nouvelle composition selon l'inspiration du moment! Enfin, on range l'ensemble des pièces dans un petit contenant, à portée de la main, car il est fort probable que le jeu du tableau feutré devienne l'une des activités préférées de votre enfant.

10 octobre

Le petit reporter

Aujourd'hui, proposez à votre enfant de se transformer en journaliste! Muni d'un magnétophone et d'un micro, le petit reporter pourrait réaliser, entre autres, une interview de ses grands-parents, de ses oncles, ses tantes ou vous-même. Expliquez-lui les étapes nécessaires avant de se lancer dans cette grande aventure, c'est-à-dire réfléchir aux différents thèmes ou événements qu'il désire aborder avec ses interlocuteurs et dresser une liste de questions, tout en laissant place, bien sûr, à l'inspiration du moment. Apprenez-lui qu'il convient de ne pas couper la parole à la personne interviewée mais qu'il lui est permis d'intervenir, à l'occasion, pour demander des précisions ou obtenir d'autres informations. Enfin, s'il désire pousser plus loin l'investigation, vous pourriez, notamment, lui faire visiter certains endroits mentionnés au cours des différentes interviews, par exemple la ferme où sa grand-mère a passé son enfance, la maison que vous habitiez au moment où il est né, etc. Qui sait, cela deviendra peut-être le prélude à une grande carrière de journaliste d'enquête!

11 octobre

Masques d'animaux

Une dizaine d'assiettes de carton et autant de pailles de plastique, du ruban adhésif, des ciseaux, de la colle, de la gouache ou des marqueurs et quelques accessoires comme des cure-pipes, des brins de laine ou des boutons... Voilà tout ce qu'il vous faut pour créer une ribambelle de masques en forme d'animaux divers! Dans chaque assiette, découpez deux orifices pour les yeux (de préférence, faites cette tâche vous-même). Ensuite, confiez la décoration des assiettes à votre enfant et à ses copains, s'il y a lieu. Il faut évidemment commencer par les peindre de la couleur de l'animal que l'on désire représenter. Puis, on ajoute des accessoires, par exemple des cure-pipes feront de superbes moustaches ou de belles antennes, tandis que des brins de laine permettront de représenter une crinière touffue. Au gré de leur fantaisie, les enfants pourront coller une multitude d'autres matériaux tels que boutons, morceaux de feutrine, carton, etc. Enfin, une fois la décoration terminée, fixez un bâtonnet au bas des assiettes. De la sorte, chaque enfant sera en mesure de tenir son masque bien droit devant son visage et la ménagerie pourra se mettre à défiler!

12 octobre

Avoir l'oreille

Camille Saint-Saëns, né en 1835, était un grand compositeur français doublé d'un virtuose du piano et de l'orgue. Outre des concertos et des ouvrages lyriques, il a écrit un poème symphonique tout à fait fascinant intitulé *Le Carnaval des animaux*. Pour une activité amusante et relaxante, procurez-vous-en une version, sur disque compact ou sur cassette, et tentez, avec votre enfant, de reconnaître les animaux qui se cachent derrière les multiples sonorités des divers instruments de l'orchestre! Rien ne vous empêche de répéter l'expérience, cette fois avec *Pierre et le loup* du célèbre compositeur russe Sergueï Prokofiev. N'est-ce pas là une façon agréable d'initier votre enfant à la musique classique?

13 octobre

Karaoké

Vous possédez à la maison des disques compacts ou des cassettes où figurent des chansons tirées des films de Walt Disney, différentes pièces de Carmen Campagne ou d'Henri Dès ou encore des tubes qui passent régulièrement à la radio? Recopiez-en les paroles et faites-en autant de photocopies qu'il y aura de participants. Il vous faudra former deux équipes de deux à quatre joueurs, chacun d'entre eux devant être en possession d'un recueil d'au moins cinq ou six chansons. Désignez au sort l'équipe qui sera la première à chanter, puis lancez la musique. Au début, laissez filer la chanson, puis baissez complètement le volume durant quelques secondes. Les membres de l'équipe doivent alors continuer à chanter, en tentant de suivre les paroles et le rythme, ceci dans le but d'arriver «top synchro» avec l'interprète au moment où vous déciderez d'augmenter le volume de l'appareil. Répétez avec l'autre équipe et arbitrez le match en attribuant un point à l'équipe qui, tout en donnant la meilleure interprétation, s'est montrée la plus douée sur le plan du rythme et du tempo. Recommencez ensuite avec chacune des pièces du répertoire que vous avez choisi, l'équipe gagnante étant celle qui aura accumulé le plus de points. Plaisir et rires garantis!

14 octobre

À la bibliothèque

Inscrivez votre enfant à la bibliothèque municipale et, ce faisant, offrez-lui une clé magique qui lui permettra d'ouvrir les portes d'un monde tout à fait fascinant. Explorez ensemble les rayons où se trouvent les livres adaptés à son groupe d'âge. Feuilletez tous deux les encyclopédies et autres ouvrages de référence. S'il est suffisamment âgé, montrez-lui à se servir des fiches ou de l'ordinateur pour faire des recherches par sujet, par auteur ou par collection. Présentez-le à la bibliothécaire et laissez-le poser toutes les questions qui le tarabustent. Prenez l'habitude d'aller régulièrement à la bibliothèque, empruntez souvent des ouvrages et partagez vos lectures avec votre enfant!

15 octobre

Sprint domestique

Ah là là! C'est encore une de ces fameuses journées en «age»? Vous savez, ce jour où il devient impérieux de faire le ménage, le lavage, le repassage, le nettoyage, etc. Transformez ce qui s'annonce pour être une accumulation de corvées monotones en véritables Jeux olympiques familiaux. Attribuez une tâche aux divers membres de la famille en tenant compte des capacités de chacun. Évitez de submerger votre enfant de corvées et optez plutôt pour une petite tâche qu'il pourra assumer de manière autonome, par exemple ranger ses blocs Lego, ramasser tous les vêtements qui traînent et les mettre dans la corbeille à linge sale, jeter tous les papiers et retailles de carton qui jonchent sa table de travail depuis qu'il a cessé de bricoler, etc. Puis, donnez le signal de départ et sortez le chrono! Une façon amusante d'amener chaque membre de la famille à assumer sa part de travaux domestiques et dont le résultat se solde par un intérieur immaculé en moins de temps qu'il n'en faut pour le dire!

16 octobre

L'assassin

N'ayez crainte... l'assassin est un jeu amusant et non violent! Pour y jouer, il vous suffit de retirer d'un paquet de cartes autant de cartes qu'il y a de joueurs en vous assurant d'inclure dans le lot l'as de pique. Mettez de côté le reste du paquet, vous n'en aurez nul besoin. Brassez les cartes où se trouve l'as de pique et distribuez une carte à chaque joueur en lui demandant de la déposer face cachée sur la table, devant lui, après en avoir pris connaissance. Le joueur qui aura reçu l'as de pique sera l'assassin et il devra garder cette information pour lui seul. Les joueurs s'observent alors mutuellement. Celui qui est l'assassin peut faire un clin d'œil discret à un joueur qui l'observe lorsqu'il pense être à l'abri du regard des autres joueurs. Celui qui reçoit le clin d'œil meurt sur-le-champ et doit alors retourner sa carte. Les autres joueurs tentent bien sûr d'identifier qui est l'assassin mais ils doivent aussi veiller, du même coup, à ne pas se faire assassiner eux-mêmes. Si l'assassin est démasqué, on brasse de nouveau les cartes et on recommence une autre partie. Si l'assassin parvient à éliminer tous les autres joueurs sauf un, il a réussi ce qu'il convient d'appeler un «crime parfait». Plus on est nombreux à jouer, plus c'est amusant!

17 octobre

Croissant-décroissant

Préparez différentes épreuves où il faudra classer divers objets en allant du plus petit au plus grand. Voici quelques suggestions:

- des bouteilles de plastique (avec bouchon) remplies de différentes quantités d'eau;
- des bols à mélanger;
- des cuillères à mesurer;
- des contenants de plastique vides (pots de yogourt, de margarine, de fromage à la crème, etc.);
- une série de cartes à jouer allant de 2 à 10.

Une fois que vous avez déposé tous ces objets sur la table, dans le désordre, mettez votre enfant au défi de les trier et de les classer le plus rapidement possible. Sortez le chrono et minutez sa performance. Après, on mélange le tout et un autre joueur est mis à l'épreuve. Celui qui est parvenu à classer tous les objets dans les meilleurs délais remporte la partie!

18 octobre

Cherchez la forme

Voici un petit jeu amusant que l'on peut pratiquer dans n'importe quelle pièce de la maison! Il suffit d'annoncer une figure géométrique, par exemple un carré. À tour de rôle, chaque joueur doit nommer un objet de forme carrée présent dans la pièce où il se trouve. Celui qui a trouvé le plus grand nombre d'objets gagne la partie et on recommence en annonçant une autre figure: rectangle, cercle, ovale, triangle, etc.

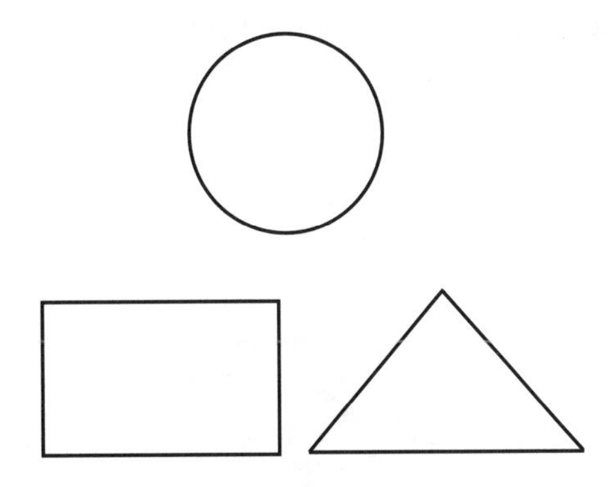

19 octobre

Coup de dés

Trois dés, une feuille de papier, un stylo et un certain goût du risque sont nécessaires pour jouer à ce jeu qui peut se pratiquer à deux ou à plusieurs. Le joueur le plus jeune débute le jeu en lançant ses trois dés. Le compte se fait ainsi: un 1 vaut 10 points, un 5 vaut 50 points, une suite (par exemple 2, 3 et 4) vaut 100 points et trois nombres identiques valent 200 points (les points peuvent être cumulés, par exemple une suite composée de 1, 2 et 3 donnera 110 points, 100 pour la suite et 10 pour le 1). Si les dés roulés lui permettent de marquer des points, le joueur peut décider de faire noter sa marque et de passer les dés au joueur assis à sa gauche ou encore il peut tenter d'améliorer sa performance en relançant les dés. Attention! si les dés relancés ne lui permettent pas de marquer (par exemple s'il obtient un 2, un 3 et un 6), il perd tous les points qu'il avait obtenus précédemment et son tour s'arrête là! Chaque fois qu'en relançant les dés le joueur obtient des points, il a toujours le choix de faire enregistrer sa marque ou de continuer en jouant le tout pour le tout. Le premier joueur à atteindre 2 000 points gagne la partie!

20 octobre

Le globe-trotter

Aujourd'hui sera une journée pleine de surprises et d'imprévus... Préparez-vous à faire un grand voyage vers une destination inconnue. Comment cela? Demandez à votre enfant de faire tourner le globe terrestre et de l'arrêter, au hasard, en pointant son doigt sur un pays. Partez alors à la découverte de cette contrée avec tous les membres de la famille et ce, durant toute la journée! Consultez le dictionnaire, l'encyclopédie ou des guides touristiques de cette région si vous en avez à la maison, sinon faites un arrêt à la bibliothèque. De retour à la maison, créez des décors appropriés, déguisez-vous, pratiquez une des activités particulièrement appréciées des habitants, préparez un repas en vous inspirant des mets nationaux les plus populaires ou en utilisant divers aliments propres à cette région du monde, etc. Bref, organisez-vous pour qu'au cours de cette journée tous les membres de la famille, petits et grands, se sentent complètement dépaysés et ce, sans même avoir mis le nez dehors!

21 octobre

De léger à lourd

Préparez trois listes de six ou sept noms d'animaux de tailles diverses (par exemple chat, baleine, moineau, mouche, vache, baleine, chèvre) et demandez à votre enfant de les classer en allant du plus léger au plus lourd. Chaque fois qu'il réussit l'épreuve, accordez-lui un point. Puis, inversez les rôles. Si votre enfant est en compagnie d'un ou de plusieurs copains, passez à chacun un crayon et une feuille blanche. Dès lors, dictez les noms d'animaux figurant sur votre liste et demandez aux enfants de les inscrire sur leur feuille en partant du plus lourd au plus léger (ou l'inverse). Le premier qui y parvient, sans erreur, gagne la partie.

Variante: Plutôt qu'une liste de noms d'animaux, proposez des noms d'objets usuels ou encore différents moyens de transport.

22 octobre

Surprise

Voici un jeu tout simple qui peut aider votre enfant à développer sa dextérité manuelle tout en mettant sa patience à l'épreuve! Il sera grandement récompensé de ses efforts. Tout d'abord, prenez une boîte de carton (munie d'un couvercle) et placez-y un cadeau-surprise: une balle, des cartes à collectionner, une friandise, etc. Remettez le couvercle et recouvrez la boîte avec du papier d'emballage ou autre. Puis, attachez le tout à l'aide de rubans multicolores, de ficelles, de bandes élastiques, de ruban adhésif, etc. Mettez ensuite votre enfant au défi d'ouvrir son cadeau (sans se servir de ciseaux) en l'assurant qu'il y trouvera une surprise des plus agréables.

23 octobre

Qui suis-je?

Voici une activité qui permettra aux participants de développer leur aptitude à communiquer tout en faisant appel à leur curiosité et à leur sens de la déduction. Un joueur, désigné par le sort, choisit un nom de personne ou de personnage, réel ou fictif, historique ou contemporain, du moment qu'il ne s'agit pas d'un illustre inconnu. Il ne doit divulguer aux autres participants que les initiales de la personne ou du personnage choisi (par exemple, M. M. pour Mickey Mouse). À tour de rôle, les autres joueurs doivent lui poser des questions afin de deviner qui se cache derrière ces initiales. Si un joueur pense avoir la bonne réponse, il peut la formuler à haute voix à n'importe quel moment mais, attention, s'il se trompe (s'il affirme Marilyn Monroe), il est automatiquement éliminé. Dès qu'un joueur a résolu le mystère, le jeu s'arrête et c'est à lui que revient le droit de choisir un nouveau personnage. Toutefois, lorsque 10 questions ont été posées et que l'énigme demeure entière, c'est le maître de jeu qui est déclaré gagnant. Il doit alors révéler le nom qui était associé aux initiales et poser une nouvelle devinette à l'assemblée.

24 octobre

L'as du triage

Votre enfant est un touche-à-tout? Voici une activité qui devrait le réjouir! Déposez dans une assiette creuse des grains de café, des arachides écalées, des raisins secs ainsi que des macaronis non cuits. Mélangez bien le tout et bandez les yeux à votre enfant, puis mettez-le au défi de trier ce mélange hérétoclite! En faisant appel à son seul sens du toucher, il devra parvenir à créer des petits tas bien distincts pour chacun des quatre éléments du mélange. Ne vous moquez pas trop de ses hésitations car vous serez aussi mis à l'épreuve!

Le 25 octobre

Salé ou sucré?

Voici une activité qui permettra de développer le sens du goût de votre enfant en réveillant ses papilles gustatives! En outre, vous pourrez faire d'une pierre deux coups, le sustenter à l'heure de la collation tout en l'amusant. Comment? Pendant qu'il aura le dos tourné, préparez un plateau sur lequel vous déposerez différents aliments, soit salés (des arachides, du maïs soufflé, un craquelin, des anchois, des croustilles, etc.), soit sucrés (bouchées de pain avec du miel et de la confiture, friandise au chocolat, carrés aux dattes, fudge, etc.). Faites venir votre enfant, bandez-lui les yeux et faites-lui goûter les différents aliments en lui demandant, chaque fois, d'identifier s'il s'agit d'un aliment sucré ou salé. Ne forcez pas trop la dose... de petites quantités de quelques aliments seulement suffisent pour s'amuser sinon... vous risquez de provoquer une indigestion!

26 octobre

Dessin au doigt

C'est l'heure d'aller au lit, mais votre enfant résiste à l'appel de l'oreiller? Invitez-le à s'étendre pour participer à un dernier petit jeu avant de sombrer dans le merveilleux monde du rêve... À l'aide simplement de votre index, dessinez dans le dos de votre enfant n'importe quel objet de forme assez simple tels un sapin, un soleil, une lune ou une maison. Puis, demandez-lui de deviner de quoi il s'agit. Au besoin, recommencez mais cette fois très lentement. S'il devine juste, il vous proposera certainement d'inverser les rôles. Convenez d'un certain nombre de dessins à réaliser, après quoi... chhhh... bonne nuit!

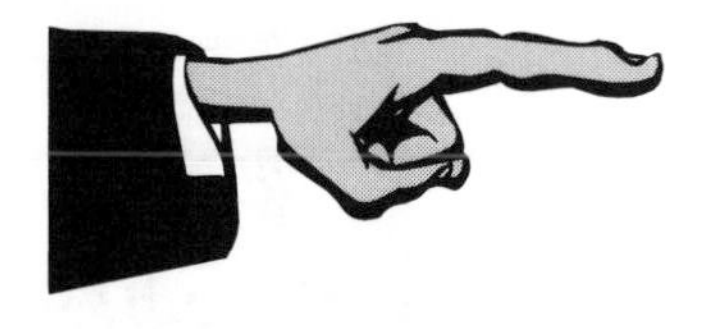

27 octobre

Escouade tactique

Prenez un objet qui peut émettre un son continu et suffisamment fort pour qu'on puisse l'entendre même une fois dissimulé: un réveille-matin au tic-tac bien sonore, par exemple, que vous pourriez faire passer pour une bombe. Montrez l'objet à votre enfant, puis demandez-lui de se rendre dans une pièce assez éloignée. Cachez ensuite l'objet en question dans une autre pièce: dans un tiroir entrouvert, derrière une rangée de livres dans la bibliothèque, sous les draps, derrière le coussin du fauteuil ou encore dans la baignoire! Mettez alors votre enfant au défi de retrouver «la bombe», sans aucun indice, en ne se fiant qu'à son oreille. S'il réussit à la «désamorcer», ce sera à son tour de placer une «bombe» tandis que vous devrez joindre les forces de l'escouade tactique experte en explosifs de toutes sortes!

Variante: Si vous ne possédez pas le genre de réveille-matin suggéré ici, vous pourriez utiliser un transistor en réglant le volume ni trop bas ni trop fort.

28 octobre

Boissons et frissons

C'est bientôt l'Halloween, le jour où squelettes, vampires et sorcières se réveillent... et surtout un moment privilégié pour mettre au point quelques petites blagues visant à susciter peur, effroi ou... dégoût! Votre enfant adorera préparer ces glaçons repoussants qu'il se fera un malin plaisir, le fameux soir de l'Halloween, d'inclure dans les verres d'eau offerts à ses copains avant de partir en quête des traditionnels bonbons. Voici comment procéder:

- Demandez à votre enfant de déposer dans chacun des compartiments du bac à glaçons des choses tout à fait horribles comme des araignées (quatre bouts de minces réglisses noires noués ensemble de manière à obtenir huit pattes et un gros corps au centre), des vers blancs (bouts de spaghetti cuits), des yeux injectés de sang (un raisin sec inséré au milieu d'une framboise) et des cafards (grains de café);
- Remplissez d'eau et mettez au congélateur.

Lorsque votre enfant servira des boissons froides à ses copains le soir de l'Halloween, il réussira sûrement à les glacer d'effroi!

29 octobre

Citrouilles effrayantes

Aujourd'hui, passez au marché et procurez-vous une belle grosse citrouille. De retour à la maison, découpez le dessus du légume et évidez-le. Ne jetez pas les graines! Faites-les griller au four en y ajoutant un peu d'huile et une bonne quantité de sel. Vous verrez, c'est délicieux! Demandez ensuite à votre enfant de dessiner, au marqueur, les yeux, le nez et la bouche sur un côté de la citrouille. Toutefois, procédez vous-même à la découpe car c'est une tâche difficile et dangereuse pour les doigts menus de votre enfant. Placez ensuite une bougie à l'intérieur et déposez votre citrouille effrayante dehors, près de la porte d'entrée, pour une ambiance tout à fait de circonstance.

30 octobre

Arbre aux fantômes

Chaque fois que vous allez à l'épicerie, vous revenez avec de multiples sacs de plastique blancs, et vous en avez tant que vous ne savez plus qu'en faire? Proposez à votre enfant de fabriquer une véritable armée de petits fantômes qu'il pourra accrocher aux branches d'un arbre situé près de la maison. Pour ce faire, rien de plus simple! Il suffit de bourrer le fond du sac avec du papier journal roulé en boule (pour la tête) puis d'attacher le tout avec une cordelette (à hauteur du cou). On prendra soin de laisser libre une bonne longueur de corde qui servira à pendre le «fantôme». Une fois que votre enfant aura créé suffisamment de fantômes, accrochez-les aux branches d'un arbre!

31 octobre

Cadeau ensanglanté

Votre enfant devrait bien s'amuser en observant la réaction d'épouvante sur le visage des personnes à qui il offrira ce «merveilleux» présent d'Halloween. Pour fabriquer ce cadeau ensanglanté, vous aurez besoin d'une boîte à chaussures (avec le couvercle), de marqueurs, de feutrine noire, de colle blanche non toxique, d'une paire de ciseaux, d'ouate et de ketchup! Commencez par découper un orifice dans le fond de la boîte (au tiers environ) qui soit suffisamment grand pour que votre enfant puisse y passer la main. Suggérez à votre enfant de décorer sa boîte en y dessinant, par exemple, des chats noirs, des citrouilles et des toiles d'araignée. Ensuite, demandez-lui de tapisser l'intérieur de la boîte en y collant de la feutrine noire avant de déposer, au fond, une bonne couche d'ouate. Enfin, montrez-lui comment tenir sa boîte d'une main, en glissant l'autre dans l'ouverture. Recouvrez sa main d'une bonne traînée de ketchup. Il ne lui restera plus qu'à trouver sa prochaine victime, qui sursautera de frayeur lorsque, en soulevant le couvercle de la boîte, elle apercevra une main coupée et ensanglantée!

1er novembre

Capuchons mignons

Proposez à votre enfant de fabriquer une dizaine de capuchons de crayons, tous plus originaux les uns que les autres. Offrez-lui des bouchons de liège dans lesquels vous aurez percé un trou pour y insérer un crayon. Étalez ensuite sur la table des retailles de tissu, des brins de laine, des cure-pipes, de la feutrine, des ciseaux à bouts ronds, des marqueurs et de la colle blanche. Votre enfant sera alors en possession de tout ce qu'il faut pour créer ses divers modèles (personnages ou animaux) de capuchons. Il pourra bien sûr offrir certaines de ses créations à des amis ou à des parents et en conserver d'autres pour son usage personnel!

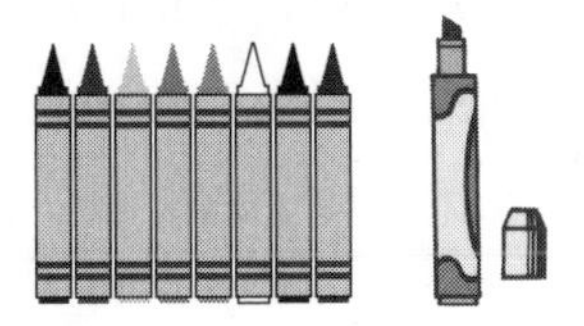

2 novembre

Le huit

Voici un jeu de cartes amusant et simple auquel on peut s'adonner à deux, trois ou quatre joueurs. Il suffit de mêler un paquet de 52 cartes et d'en distribuer 8 à chaque joueur. Les cartes qui restent sont déposées en pile au milieu de la table, face cachée. Le donneur retourne alors la première carte de cette pile (le talon) et la dépose à côté, face ouverte. Le joueur assis à la gauche du donneur doit alors déposer par-dessus cette carte une de celles qu'il a en main, à la condition qu'elle soit de même valeur (une dame de trèfle peut recouvrir une dame de cœur) ou de même couleur (un dix de carreau peut être déposé sur un trois de carreau). Si le joueur possède un huit, il pourrait aussi jouer cette carte (quelle qu'en soit la couleur) et exiger un changement de couleur (passer du cœur au pique par exemple). Toutefois, si le joueur ne peut placer aucune de ses cartes, il doit en piger dans le talon jusqu'à ce qu'il puisse en placer une. C'est alors au tour de son voisin de gauche à jouer. Le premier joueur qui réussit à se débarrasser de toutes ses cartes remporte le tour. Les autres participants doivent alors déposer sur la table les cartes qu'ils ont en main et l'on procède au comptage de la manière suivante:

- 15 points pour un 8; 10 points pour n'importe quelle figure;
- Valeur nominale des cartes allant de l'as au 10 (1 à 10 points).

On recommence ainsi jusqu'à ce qu'un des joueurs atteigne la marque de 100 points. Le jeu prend alors fin et le joueur ayant la marque la moins élevée est déclaré vainqueur.

Note: Quand le talon est épuisé, on prend les cartes ouvertes, on les mêle et on en fait un nouveau talon.

3 novembre

La chaussette mystérieuse

Il pleut, il fait froid et votre enfant est d'humeur un peu maussade? Qu'à cela ne tienne, voici une activité qui pourra le tirer de sa morosité. Prenez une chaussette de laine suffisamment grande pour pouvoir y mettre de quatre à cinq objets (montre, bracelet, bague, crayon, etc.). Assurez-vous toutefois que les objets dissimulés ne soient ni coupants, ni tranchants, ni piquants. Après avoir passé une bande élastique autour de la partie supérieure de la chaussette, demandez à votre enfant de nommer chacun des objets qui s'y trouvent uniquement en les palpant. Il s'agit, sans conteste, d'une activité amusante qui, en même temps, contribuera à développer le sens du toucher et l'esprit de déduction de votre enfant.

4 novembre

La pêche aux clous

Pour participer à la pêche aux clous, nul besoin de détenir un permis. Procurez-vous simplement deux aimants et attachez-les à une cordelette. Déposez ensuite au centre de la table (ou sur le plancher) une bonne quantité de petits clous métalliques. Au signal, votre enfant et vous, munis tous deux de votre canne à pêche aimantée, devrez tenter d'attirer (et de retenir) le plus grand nombre de clous possible. Après 25 ou 30 secondes, cessez tout et faites le compte. Le gagnant est celui dont la pêche aura été la plus fructueuse!

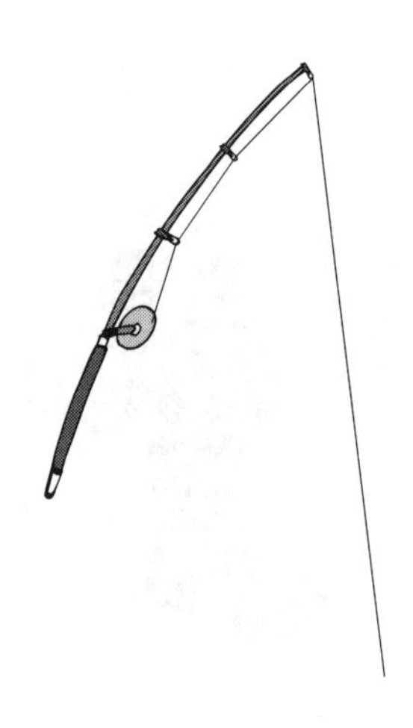

5 novembre

Pinces à courrier

Votre courrier est toujours éparpillé? Des enveloppes traînent en tas sur la commode, d'autres gisent dans l'un de vos tiroirs et quelques-unes ornent le dessus du réfrigérateur? Demandez à votre enfant d'avoir la gentillesse de remédier à votre mauvaise habitude en vous fabriquant une pince à courrier tout à fait originale! Pour ce faire, il suffit de lui donner une pince à linge en bois qu'il pourra peindre à la gouache ou décorer à l'aide de marqueurs. Des retailles de tissu, de la feutrine, des brins de laine ou du papier de soie, de la colle blanche non toxique, et bien sûr un peu d'imagination permettront de créer une pince à courrier assurément unique en son genre! Une fois qu'il en aura fabriqué une pour vous et qu'il y aura pris goût, il sera peut-être tenté d'en créer d'autres pour offrir à grand-papa ou à tantine!

6 novembre

Jeu du dictionnaire

Voici un jeu amusant qui offre l'occasion à tous les participants, petits et grands, d'enrichir leurs connaissances. Le premier joueur ouvre le dictionnaire au hasard, dans la section des noms communs, et choisit un mot figurant sur l'une ou l'autre des pages qu'il a sous les yeux. Ce mot, qu'il doit retenir, sera alors le «mot-vedette». Il choisit ensuite un autre mot (ou deux au choix) se trouvant sur la même page, ce qui lui permettra de présenter une définition piégée. Il énonce alors à haute voix le «mot-vedette» puis lit, dans l'ordre ou non, les définitions de ce mot-vedette et du deuxième mot qu'il a choisi. Chaque joueur doit alors écrire sur un bout de papier laquelle des deux définitions (A ou B par exemple) correspond, selon lui, à la signification du mot-vedette. Une fois que tous les joueurs ont fait leur choix, le joueur qui a le dictionnaire en main révèle la bonne réponse et précise quel mot lui a servi à formuler sa définition piégée. Les joueurs qui avaient vu juste récoltent un point et c'est alors à un autre participant de mettre l'assemblée au défi. Après un nombre de tours fixé à l'avance, on procède au comptage. Celui qui a accumulé le plus grand nombre de points remporte la palme!

7 novembre

Un nœud gordien

Vous avez déjà grondé votre enfant en lui disant qu'il faut réfléchir avant d'agir? Eh bien, cette fois-ci, appliquez cette maxime dans un autre contexte, plus agréable toutefois pour vous et pour votre enfant. Prenez un rouleau de ficelle et coupez-en une dizaine de morceaux de 60 cm environ. Au bout de l'une de ces ficelles, attachez une petite surprise pour votre enfant, par exemple un paquet de gomme à mâcher, un petit sac de bonbons ou de fruits séchés, etc. Il s'agit ensuite de placer la dizaine de ficelles bien à plat sur une table et de les entremêler. Demandez alors à votre enfant d'identifier la ficelle qui le mènera à la surprise tant convoitée. Pour cela, il devra donc démêler l'écheveau, en apparence inextricable, de ficelles. Il a d'autant plus de chance d'y parvenir qu'il sait d'avance que le jeu en vaut la chandelle!

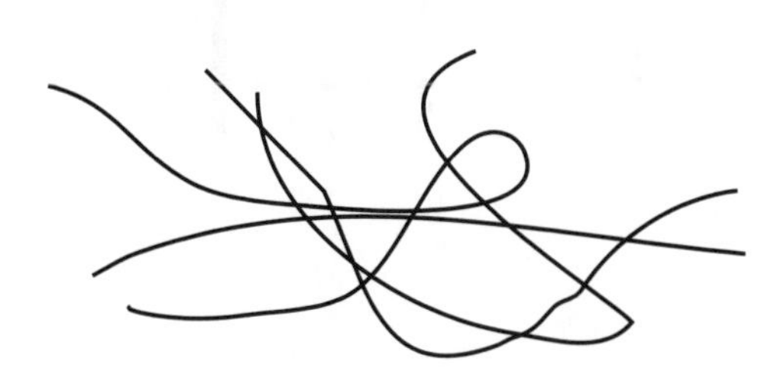

8 novembre

Aïe! Que de pailles!

Voici un jeu amusant qui exige de la rapidité et un bon sens de l'observation. Prenez 10 pailles de plastique et coupez-les en différentes longueurs. Mettez-les dans un gobelet et déposez celui-ci devant votre enfant. Répétez le procédé avec une autre dizaine de pailles que vous déposerez dans un autre gobelet qui vous sera destiné. Au signal, vous devrez tenter, le plus rapidement possible, de reconstituer l'ensemble de pailles sur la table en les plaçant dans l'ordre croissant. Le premier joueur qui y parvient remporte la partie. Jouez autant de fois que vous le désirez!

9 novembre

Porte-documents

Vos revues sont empilées en vrac et chaque fois que vous en retirez une vous craignez que la «tour de Pise» s'écroule? Avec l'aide de votre enfant, fabriquez un porte-documents qui vous sera des plus utiles. Prenez une grosse boîte de savon à lessive et enlevez-en complètement le couvercle. Faites, sur chacun des côtés, une découpe en angle à partir du milieu du haut de la boîte jusqu'à environ 20 cm sur le devant, qui doit aussi être découpé. Demandez ensuite à votre enfant de peindre à la gouache tout l'extérieur du porte-documents. Il pourra, au choix, opter pour une couleur unie, peindre des motifs abstraits multicolores ou représenter un paysage! Une fois que le tout sera bien sec, placez-y vos revues. Finies les piles à l'équilibre douteux!

10 novembre

Signets originaux

Votre enfant et vous-même adorez la lecture? Pourquoi ne pas fabriquer ensemble de jolis signets aussi utiles que décoratifs? Procurez-vous tout d'abord une dizaine de bâtonnets à café, du papier cartonné de couleur, un crayon à mine, des marqueurs, un verre de plastique, des ciseaux à bouts ronds et de la colle blanche. Dans un premier temps, proposez à votre enfant de colorier, à l'aide de ses marqueurs, les bâtonnets à café. Ensuite, au moyen du verre et du crayon à mine, tracez une dizaine de formes rondes sur différents cartons de couleur. Découpez ces formes et collez-en une au bout de chacun des bâtonnets à café. Et voilà, les signets sont presque prêts. En effet, il ne reste plus à votre enfant qu'à décorer les diverses formes rondes de manière à les transformer en personnages, en animaux, en fleurs ou en soleils. Pour y parvenir, il pourra, au gré de sa fantaisie, utiliser ses marqueurs, de la feutrine, des brins de laine ou des retailles de tissu. Enfin, dans la mesure où vous obtiendrez ainsi une dizaine de signets, rien n'empêchera votre enfant d'en offrir aux parents et aux amis passionnés de lecture!

11 novembre

Fleurs soyeuses

Le mois de novembre, aux yeux de plusieurs, est le mois le plus triste de l'année: le ciel est gris, les arbres sont dénudés, la pluie et le froid règnent... Pour égayer un tant soit peu la maisonnée, demandez à votre enfant de créer pour vous un magnifique arrangement de fleurs en papier de soie multicolore. Il a dit oui? Alors voilà, vous aurez besoin de deux ou trois paquets de papier de soie aux couleurs variées ainsi que d'une dizaine de cure-pipes verts (ou de tiges métalliques recouvertes de tissu vert). Voici comment procéder pour donner naissance à une superbe fleur:

- Découpez 6 carrés de papier de soie d'environ 30 cm sur 30 cm;
- Déposez les 6 carrés les uns sur les autres et pliez le tout en accordéon;
- Attachez l'extrémité d'un cure-pipe ou d'une tige métallique en l'enroulant légèrement au milieu de l'«accordéon»;
- Vous obtiendrez quelque chose qui ressemblera à un nœud papillon. Rapprochez les deux boucles de ce nœud de manière à former une sorte de cercle. Relevez alors les feuilles de papier de soie une par une pour former une fleur magnifique;
- Répétez l'opération jusqu'à l'obtention d'un superbe bouquet!

12 novembre

Xyl-eau-phone

Proposez aujourd'hui à votre enfant de fabriquer un amusant xylophone maison! Pour réaliser ce projet, prenez 10 grands verres (ou bouteilles) de même grandeur, alignez-les et versez-y différentes quantités d'eau selon un ordre croissant. Donnez ensuite une petite cuillère métallique à votre enfant. Expliquez-lui qu'en frappant doucement chacun des verres il obtiendra un son (une note) chaque fois différent. Laissez-le expérimenter jusqu'à ce qu'il vous demande d'assister à son premier concert et... applaudissez-le bien!

13 novembre

Une toise

«Oh... comme tu as grandi!» Votre enfant entend souvent ce genre de remarque, mais il n'est pas toujours à même de constater effectivement l'ampleur des changements qui se sont produits! Vous pourriez lui suggérer de fabriquer une toise à coller sur un mur de sa chambre ou derrière sa porte. Pour ce faire, vous pouvez utiliser du papier d'emballage qu'il pourra décorer à sa guise à l'aide de marqueurs. Laissez cependant un espace sur la gauche de manière à pouvoir y coller un ruban à mesurer ou y dessiner une échelle graduée. N'oubliez pas de mesurer, s'il y lieu, la distance exacte qui sépare le plancher du début de la toise. Tenez-en compte lorsque vous allez graduer l'échelle ou coupez d'autant de centimètres le début du ruban à mesurer.

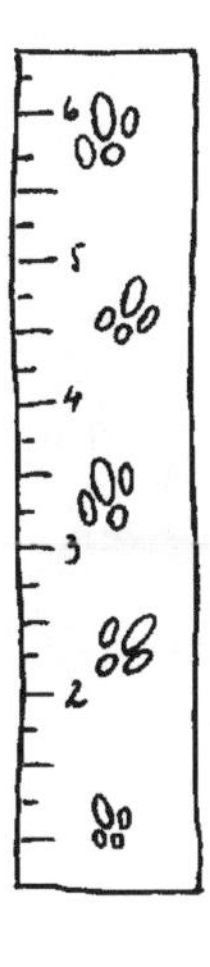

14 novembre

Énigmes

Vous voulez développer chez votre enfant son sens de la déduction et de l'observation? Pourquoi alors ne pas pratiquer ce jeu qui consiste à lui donner, en une courte phrase, la définition de différents objets qui se trouvent dans la maison et qu'il devra identifier? Par exemple: «Après nous avoir accueilli, il nous emporte parfois dans des mondes étranges» (le lit); «Elle peut être aussi froide que la glace ou aussi chaude qu'un thé brûlant» (la baignoire); «Elle a quatre pattes, mais ne bouge presque jamais» (la table de cuisine)...

15 novembre

Peinture tactile

La plupart des enfants adorent s'amuser avec de la peinture tactile! Ils prennent plaisir à enfouir leurs doigts dans les pots de peinture, à en sentir la texture particulière et à réaliser, sans autre outillage que leurs mains et du papier glacé, de petits chefs-d'œuvre. Pour fabriquer votre propre peinture tactile, il vous suffit de délayer 250 ml (1 tasse) de fécule de maïs dans 250 ml (1 tasse) d'eau froide. Ajoutez 1,75 l (6 1/2 tasses) d'eau bouillante en remuant constamment, jusqu'à ce que le mélange soit uniforme. Reste alors à incorporer, en remuant, environ 250 ml (1 tasse) de savon à lessive en poudre. Versez ensuite le mélange dans des petits pots en y ajoutant, chaque fois, environ 15 ml (1 c. à soupe) de gouache, de manière à obtenir un assortiment de plusieurs couleurs. Des feuilles de papier glacé et hop… l'artiste en herbe peut enfin se lancer dans l'aventure de la peinture tactile!

16 novembre

Les cinq indices

Le jeu consiste à fournir à votre enfant des éléments d'information, au maximum cinq, qui lui permettront de deviner le nom d'une activité, d'un objet ou d'un personnage que vous avez en tête. Commencez par déterminer un thème, par exemple «Le sport», «Les moyens de transport» ou «Les personnages de Walt Disney». Ensuite, donnez à votre enfant des indices (adjectifs caractéristiques, traits particuliers, etc.), un par un, en allant du général au particulier, du plus difficile au plus facile, pour l'aider à découvrir de quoi il s'agit. S'il devine juste au premier indice, il obtient 5 points; au deuxième, 4 points; et ainsi de suite. Inversez ensuite les rôles. Voici quelques exemples:

Le sport

— C'est un sport d'hiver; deux équipes s'y affrontent; le jeu exige d'allier précision et vitesse; les contacts physiques sont autorisés; une rondelle de caoutchouc, de couleur noire, passe d'un joueur à l'autre.

— Le hockey sur glace!

Les moyens de transport

— Je fais le même trajet cinq jours par semaine; j'accueille de jeunes voyageurs; je vais les chercher à leur domicile; je les reconduis à l'école; ma couleur est jaune.

— Un autobus scolaire!

Personnages de dessins animés

— Je suis grande et maigre; je fume de longues cigarettes; je conduis ma voiture très dangereusement; j'adore les fourrures et je suis très cruelle; je suis à la recherche d'une race particulière de chiens.

— Cruella dans *Les 101 dalmatiens*!

17 novembre

Moi mes souliers

Voici une activité rigolote à la condition de pouvoir compter sur la participation de plusieurs joueurs! En guise d'accessoire, un grand sac-poubelle suffit! Demandez aux participants de mettre leurs chaussures dans le sac et mêlez le tout. Videz ensuite le contenu du sac au milieu de la pièce. Au signal, les joueurs s'élancent et partent en quête de leurs godasses. Le premier joueur qui parvient à enfiler sa paire de chaussures gagne la partie!

18 novembre

Mousse au centuple

C'est l'heure du bain et votre enfant désire à tout prix retarder ce moment car cela lui rappelle qu'il devra bientôt aller se coucher? Garantissez-lui que sa trempette ne sera pareille à nulle autre en triplant la quantité de bain moussant que vous utilisez habituellement. Il y a fort à parier qu'il ne se fera pas prier pour s'engouffrer dans une montagne de mousse qu'il pourra sculpter à sa guise, détruisant ses créations d'un simple souffle pour en refaire de nouvelles, toujours plus amusantes. Évidemment, restez à ses côtés pour admirer ses œuvres et vous amuser avec lui. Déguisez-le en vieillard en ornant ses cheveux et son visage de mousse de manière à créer une crinière, une moustache et une belle barbe blanche. Apportez-lui un miroir et esclaffez-vous ensemble!

19 novembre

L'inspecteur mène l'enquête

Voici un jeu qui permettra à votre enfant d'exercer sa capacité de déduction et son sens de l'observation. Installez-vous dans la cuisine et demandez à votre rejeton de sortir de la pièce un moment. Durant ce temps, choisissez cinq objets, par exemple le beurrier, une cuillère de bois, un bibelot, le presse-ail, la salière. Avec un crayon à mine, tracez le contour de tous ces objets sur du papier. Puis, remettez les objets en place et appelez votre enfant. Donnez-lui les cinq feuilles de papier et mettez-le au défi de retrouver les objets originaux!

20 novembre

Ranger? Hourra!

Votre enfant s'est amusé durant tout l'après-midi, dans sa chambre avec ses copains? Résultat: c'est le désordre total! Il faut bien sûr ranger les jouets, mais il est possible de transformer ce qui pourrait être une corvée en une activité divertissante et instructive. Suggérez-lui d'élaborer un système de classement et de rangement. Apportez divers contenants où il pourra classer, par couleur, ses blocs Lego. Mettez-le au défi d'ordonner ses livres, ses peluches ou ses poupées, sur les étagères de sa bibliothèque, en allant du plus petit au plus grand.

21 novembre

Un château fort

Aujourd'hui, proposez à votre enfant de construire un magnifique château fort tel qu'ils existaient au Moyen Âge. Pour réaliser ce projet, prenez une boîte de carton vide d'environ 25 cm de haut. Ôtez complètement les pans du dessus (ou le couvercle) et découpez des créneaux sur le pourtour de la boîte. Découpez-y également une porte dont le haut sera arrondi (inspirez-vous des illustrations de château fort figurant dans vos encyclopédies ou les livres d'histoire de votre enfant). Ensuite, à l'aide d'une règle et d'un crayon à mine, tracez plusieurs lignes horizontales et verticales de manière à représenter des pierres taillées. Suggérez à votre enfant de colorier ce motif en arrondissant les angles et en utilisant des marqueurs ou de la gouache de couleur noire (pour les pierres) et de couleur grise (pour les joints de ciment). Puis, prenez des cure-pipes noirs et collez-les avec du ruban adhésif à l'intérieur de la boîte, juste au-dessus de la porte, de manière à créer une herse (une grille). Donnez à votre enfant quatre rouleaux d'essuie-tout vides et demandez-lui d'y reproduire le même motif de pierres que celui qui orne les murs d'enceinte du château. Découpez des créneaux dans 4 bandes de papier cartonné gris (5 cm sur 16 cm) et collez chacune de ces bandes au sommet des 4 tours (les rouleaux). Collez les tours aux quatre coins de la boîte. Enfin, avec une paille et un bout de feutrine, fabriquez une oriflamme et collez-la sur le côté d'une tour. Résultat? Un château fort digne des plus grands seigneurs de l'époque féodale.

22 novembre

La tournée des commerces

Vous êtes propriétaire d'un commerce et votre enfant joue le rôle d'un client. Jusque-là, rien de bien étrange sauf que... votre jeune client ne sait pas exactement quel type de commerce vous tenez. Êtes-vous propriétaire d'une quincaillerie? d'une pharmacie? d'une boucherie? Il devra le deviner par lui-même en posant une série de questions précises:

— Bonjour, je voudrais acheter du lait, s'il vous plaît.
— Malheureusement, je n'en vends pas!
— Très bien, alors je désirerais un kilo de bœuf à ragoût.
— Pour cela, rendez-vous dans une boucherie, mon petit!
— Ah c'est vrai. J'y pense. J'ai besoin d'une boîte de vis et d'un marteau.
— Mais ce n'est pas une quincaillerie ici!
— Et des fleurs, en avez-vous?
— Bien sûr! Que désirez-vous? Des tulipes? des roses? des orchidées?
— J'ai trouvé! Vous êtes fleuriste.

23 novembre

Tour de dominos

Le repas du soir est terminé, la vaisselle est lavée et la table de cuisine est nettoyée? Votre enfant voudrait s'amuser un peu avec vous avant d'aller prendre son bain? Sortez votre boîte de dominos et étendez-les sur la table. Tentez, chacun de votre côté, de construire la tour qui sera la plus haute possible... et la plus solide aussi! Vous pourriez aussi décider de mettre vos efforts en commun pour ériger ensemble une tour, une maison ou quoi que ce soit d'autre! Terminez le tout en jouant une vraie partie de dominos! Enfin, rangez et... plouf dans l'eau, car c'est l'heure du bain!

24 novembre

Cabane, caverne et wigwam

Proposez à votre enfant de construire une maisonnette ou une caverne mystérieuse. Utilisez le divan ou placez des chaises de cuisine dos à dos et recouvrez le tout de draps ou de couvertures, maintenus en place par des épingles à linge. Ou encore, nappez la table d'un grand drap pour créer une cabane ou une tente où vous irez vous engouffrer. Laissez alors votre enfant inventer ses scénarios. Il y a fort à parier qu'en peu de temps vous vous transformerez en Robinson Crusoé et son fidèle Vendredi, en aventuriers à la recherche d'un trésor enfoui sous terre ou en Indiens fumant le calumet de paix! Quant au monde extérieur, il deviendra forêt, montagne, plaine ou savane. Y rôderont de vilains cow-boys, des loups affamés ou des lions menaçants. Merveilleux monde de l'imaginaire... en avant toute!

25 novembre

Une histoire contrariante

Pour distraire votre enfant, proposez-lui de choisir un petit livre de conte dans sa bibliothèque et de vous en raconter l'histoire. Cependant, pour corser la chose, demandez-lui de cesser la narration dès que survient un adjectif afin de le remplacer par son antonyme, c'est-à-dire un adjectif qui a une signification opposée ou contraire. Cela donnera un conte plutôt cocasse... Vous n'avez qu'à imaginer les répliques que s'échangeront le «petit gentil Loup» et le «grand Chaperon rouge», une «méchante» fillette qui se rend chez sa mère-grand en coupant à travers les bois:

– Oh, comme vous avez de petites dents!
– C'est pour mieux te manger mon enfant!

Variante: Remplacer les verbes plutôt que les adjectifs.

26 novembre

L'unique

Voici un jeu tout simple pour divertir petits et grands. Pendant que votre enfant est occupé ailleurs, prenez une taie d'oreiller bien opaque et remplissez-la de neuf objets incassables dont quatre paires d'objets identiques (par exemple, deux assiettes de plastique, deux cuillères, deux pantoufles et deux pots de yogourt vides) et un objet unique (par exemple, un verre de plastique). Nouez la taie d'oreiller, appelez votre rejeton et demandez-lui de deviner, simplement en palpant la taie, quel objet est dépourvu de jumeau! Plus les enfants sont jeunes, plus il est conseillé d'inclure des objets de forme et de taille très différentes. *A contrario*, plus les enfants sont âgés, plus on choisira des objets difficiles à distinguer les uns des autres.

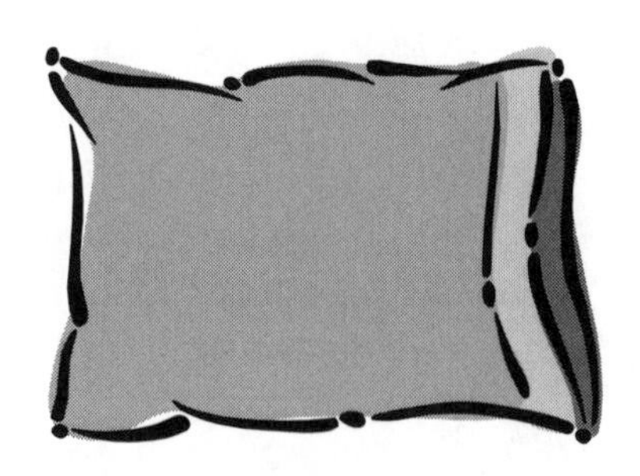

27 novembre

Décoration intérieure

Aujourd'hui, proposez à votre enfant de se lancer dans la décoration intérieure. Avec du ruban adhésif, il pourrait enjoliver la porte du réfrigérateur en y collant des dessins ou des photos. Vous pourriez également lui permettre de faire certaines transformations dans sa chambre, que ce soit en posant de nouvelles affiches sur les murs ou en changeant certains meubles de place (donnez-lui alors un coup de main). Enfin, s'il en a envie, il pourrait complètement modifier les arrangements de bibelots et d'objets divers qui figurent sur son étagère. Il ne lui reste plus alors qu'à fabriquer des cartes de visite portant la mention «Designer». Qui sait, les autres membres de la famille pourraient bien avoir envie de recourir à ses services!

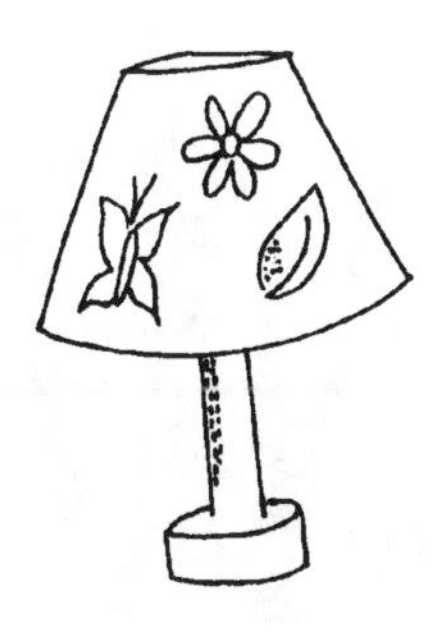

28 novembre

Ma plante à moi

Faites germer une fève dans une soucoupe remplie d'ouate imbibée d'eau et permettez ainsi à votre enfant d'observer le fabuleux processus de croissance d'une plante. Vous pouvez aussi prendre un noyau d'avocat et y piquer trois cure-dents autour de la partie centrale, à égale distance les uns des autres. Remplissez un verre d'eau et déposez-y la partie inférieure (plus arrondie) du noyau, lequel sera maintenu en place grâce aux cure-dents qui reposeront sur le rebord du verre. Votre enfant pourra alors constater de *visu* la manière dont les racines se forment et comment elles contribuent à la croissance de la plante car, en peu de temps, une belle tige devrait émerger de la partie supérieure du noyau. Il vous sera alors possible de planter le noyau en terre, dans un pot dont le fond sera préalablement garni de gravier. Bon jardinage!

29 novembre

Les qualificatifs

Avec votre enfant, choisissez une pièce de la maison où se trouvent plusieurs objets et meubles divers. À tour de rôle, énoncez un adjectif, par exemple «chaud»; l'autre joueur, par simple observation des choses qui l'entourent, doit le plus rapidement possible trouver un objet pouvant être associé au qualificatif énoncé, par exemple «calorifère». Voici ce que cela pourrait donner:

- Noir! – Le fauteuil;
- Carré! – Le téléviseur;
- Mou! – Le coussin;
- Juteuses! – Les oranges dans le panier de fruits!

30 novembre

Beach party

Proposez à votre enfant d'organiser un *beach party* et d'y inviter ses meilleurs copains. Pour une ambiance de circonstance, décorez la salle de jeux d'une murale arborant un gros soleil, un ciel d'un beau bleu azur, des goélands, des vagues à l'écume blanche, des voiliers, des coquillages et des palmiers. Apportez dans la pièce toutes les plantes en pot que vous possédez. Installez-y la table de jardin et son parasol ainsi que des chaises de plage. Enfin, n'oubliez pas d'aviser les amis d'apporter des vêtements appropriés: bermudas, tee-shirts, sandales, chapeaux de paille et verres fumés.

Dès lors, passez une agréable journée à «la plage» durant laquelle vous pourriez:

- danser sur de la musique latino ou créole;
- jouer au volley-ball de plage (utilisez un ballon gonflé);
- participer à des jeux de table sous le parasol;
- manger de la salade de fruits et boire de la limonade.

1er décembre

Calendrier de l'Avent

Procurez-vous un grand bristol vert de 55 cm sur 70 cm, de la feutrine blanche et rouge, de la colle et... une boîte de 24 friandises en forme de cannes de Noël! Grâce à ces matériaux, vous pourrez confectionner, avec votre enfant, un délicieux calendrier de l'Avent. Découpez dans la feutrine rouge 24 rectangles d'environ 7 cm sur 9 cm. Collez-les sur le carton en quatre rangées de six rectangles de manière à créer des pochettes allongées: c'est-à-dire déposez de la colle sur le bord de trois des côtés seulement de façon à ce qu'une canne puisse, ultérieurement, être glissée à l'intérieur. Dans les morceaux de feutrine blanche, tracez et découpez des chiffres (de 1 à 24) que vous collerez ensuite sur les pochettes. Enfin, épinglez ou collez votre calendrier au mur et introduisez une canne de Noël dans chacune des pochettes. Avec un tel calendrier, votre enfant sera à même de constater, quotidiennement, combien de jours il reste avant Noël et, pour tromper son attente, il pourra toujours se sucrer le bec!

2 décembre

Délicieuse pâte d'amandes

Pourquoi ne pas régaler votre enfant de succulents bonshommes de neige en pâte d'amandes? Il pourrait d'ailleurs devenir votre assistant en mettant lui-même la main à la pâte! Procurez-vous 125 g de pâte d'amandes. Prélevez-en le tiers et colorez-la à l'aide de colorant alimentaire noir. Colorez les deux tiers restants d'un blanc éclatant et façonnez des petites boules à poser les unes sur les autres pour créer de 8 à 10 bonshommes de neige. À l'aide de la pâte noire, façonnez un chapeau, deux boutons, un foulard et des yeux pour chacun de vos bonshommes! Laissez sécher toute la nuit dans un endroit tiède et préparez-vous à réveiller vos papilles gustatives dès le lendemain.

3 décembre

Un mobile de Noël

Pour fabriquer un mobile de Noël, munissez-vous d'abord d'une grande assiette de carton qui, une fois renversée, constituera la partie supérieure du mobile. Proposez à votre enfant de dessiner avec un marqueur noir le contour d'une grande étoile de chaque côté de l'assiette. Suggérez-lui de colorier l'intérieur de l'étoile en jaune, et l'extérieur en bleu. À l'aide d'un poinçon, percez six trous sur la circonférence de l'assiette et un autre au centre. Enfilez un ruban rouge dans le trou du centre; faites un ou deux nœuds pour le maintenir en place en prenant soin, cependant, de disposer d'une longueur de ruban d'environ 30 cm au-dessus de l'assiette (pour éventuellement suspendre le mobile) et d'une longueur de 15 cm en dessous (pour y accrocher une autre pièce). Demandez ensuite à votre enfant de dessiner sept motifs — tels qu'un petit sapin, une botte, une cloche, une chandelle, un ange, une boule de Noël et un père Noël — sur du papier blanc cartonné. Découpez soigneusement ces motifs en ajoutant, au sommet de chacun d'entre eux, une petite demi-lune qui servira d'anneau, une fois percée d'un trou. Laissez votre enfant colorier tous ses dessins, des deux côtés, puis enfilez un mince ruban rouge dans chacun des anneaux, sauf celui de l'étoile que vous accrocherez au ruban déjà passé dans le milieu de l'assiette. Pour un plus bel effet, prévoyez des rubans de différentes longueurs pour les six pièces restantes. Suspendez-les à l'étoile géante en passant les extrémités des rubans dans les perforations de l'assiette et maintenez-les en place en faisant des nœuds ou des boucles. Accrochez le mobile, faites-le tourner et admirez-le ensemble.

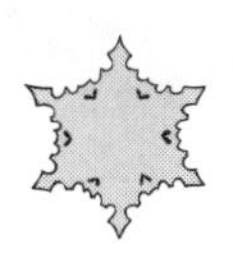

4 décembre

Une tresse odorante

Proposez à votre enfant de fabriquer une tresse décorative qui embaumera la maison! Pour réaliser ce projet, procurez-vous des pelotes de laine acrylique rouge, verte et blanche. Prélevez dans chacune de ces pelotes 6 fils de 50 cm environ. Nouez ensemble ces 18 fils de laine, séparez-les par couleur et demandez à votre enfant de les tresser. Passez une bande élastique autour de l'extrémité de la tresse pour bien la fixer. Ensuite, découpez de quatre à cinq longueurs de ruban à motif écossais (velours ou autre tissu) qui vous permettront de faire autant de boucles tout le long de la tresse. N'oubliez pas d'insérer de longs bâtonnets de cannelle dans chacune de ces boucles. Il ne reste plus alors qu'à accrocher la tresse à un mur de la salle à manger, à un petit crochet, pour que toute la pièce embaume la cannelle!

5 décembre

Une couronne de Noël

Suggérez à votre enfant de fabriquer une jolie couronne de Noël! Prenez un cintre métallique et donnez une forme arrondie au triangle qui se trouve sous le crochet. Puis, munissez-vous de papier crépon vert forêt et de carrés de feutrine d'une autre teinte de vert. Découpez-y des bandelettes d'environ 5 cm sur 30 cm. Demandez à votre enfant de les nouer très près les unes des autres, tout autour du cintre, en n'oubliant pas d'alterner les couleurs. Enfin, nouez un ruban de velours rouge, assez large, autour du crochet en faisant une belle grosse boucle. Ne reste plus qu'à accrocher cette superbe couronne à la porte d'entrée!

6 décembre

Cartes de vœux

À l'approche de Noël, il est de tradition d'envoyer des cartes de vœux aux parents et amis. Proposez donc à votre enfant de fabriquer une série de cartes originales. Voici quelques idées de modèles. Pliez une feuille de papier cartonné en deux pour faire une carte; sur la première page, dessinez un sapin. Au sommet de ce sapin, dessinez une étoile et découpez-la soigneusement. À l'aide d'un poinçon, faite plusieurs trous dans le sapin pour représenter des boules de Noël. Collez à l'endos de cette page un morceau de papier d'aluminium de façon à ce que le côté brillant puisse être aperçu par les ouvertures créées par les trous (les boules) et l'étoile. Découpez un morceau de papier cartonné de la même grandeur que la page et ornez-le d'un motif étoilé; déposez de la colle blanche sur le pourtour, à l'endos, et collez-le de manière à camoufler le papier d'aluminium. Sur la page de droite, inscrivez vos vœux et votre nom. En suivant le même procédé, remplacez le sapin par une crèche (découpez alors l'étoile des Rois mages), un bonhomme de neige (découpez le chapeau et, avec un poinçon, faites trois trous en guise de boutons) ou encore un gros cadeau (découpez alors le ruban et la boucle). Enfin, inventez autant de modèles de cartes qu'il vous plaira, amusez-vous et surtout… n'oubliez pas de les poster!

7 décembre

Un porte-cartes

Chaque année, vous recevez une montagne de cartes de Noël? Demandez à votre enfant de vous fabriquer un porte-cartes qui, une fois accroché au mur, permettra à tous les membres de la famille de lire et relire les multiples vœux qui leur ont été adressés par des êtres chers. Pour ce faire, utilisez trois cordelettes (aux couleurs de Noël) et nouez-les ensemble à l'une de leurs extrémités. Puis, demandez à votre enfant de réaliser une tresse dont l'extrémité sera retenue par une bande élastique. Recouvrez cette bande élastique d'un ruban de velours rouge qui servira à faire une belle grosse boucle. Donnez ensuite à votre enfant des épingles à linge en bois qu'il pourra décorer à sa guise à l'aide de marqueurs, de gouache ou de petites étoiles autocollantes. Fixez les épingles à la tresse et suspendez-la à un crochet fiché dans un mur. Dès que vous recevez une carte de Noël, épinglez-la à la tresse!

8 décembre

La pâte à sel

La pâte à sel est un matériau merveilleux à avoir sous la main au mois de décembre car elle permettra à votre enfant de fabriquer une pléiade d'ornements pour le sapin de Noël!

- Pour faire la pâte, mélanger 125 ml (1/2 tasse) de sel fin, 175 ml (3/4 tasse) d'eau tiède, 500 ml (2 tasses) de farine et 5 ml (1 c. à thé) de café instantané;
- Pétrir la pâte jusqu'à ce qu'elle devienne compacte et lisse, soit environ 5 minutes;
- Étendre la pâte à plat à l'aide d'un rouleau à pâtisserie ou d'une bouteille. En utilisant ou non des emporte-pièces, découper dans la pâte des sapins, des cloches, des étoiles, etc. Détacher les formes avec un couteau pointu;
- À l'aide d'un cure-dents, imprimer des motifs (points, ronds, lignes ou petits détails) sur les diverses formes;
- Un trombone déroulé, enfoncé dans la pâte de manière à obtenir une sorte de crochet, permettra de suspendre éventuellement l'ornement au sapin;
- Mettre tous les ornements sur une plaque à biscuits recouverte d'une feuille de papier d'aluminium et cuire pendant environ 2 heures à 150 °C (300 °F);
- Pour un plus bel effet, peindre les ornements, après cuisson, avec de la gouache ou de la peinture acrylique. Une fois la peinture sèche, appliquer une couche de vernis approprié.

9 décembre

Une pomme d'ambre

Vous désirez que la maison embaume d'un doux parfum d'orange et de clou de girofle? Ce n'est vraiment pas compliqué. Il suffit de fabriquer une ou deux pommes d'ambre, projet que votre enfant sera à même de réaliser presque tout seul. Pour faire une pomme d'ambre des plus réussies, il vous faut une orange, des clous de girofle, un ruban de velours rouge (pas trop large), un trombone et un bout de ficelle. Prenez deux rubans (d'environ 25 cm), passez-les autour de l'orange et nouez-les au sommet en faisant de jolies boucles. Demandez à votre enfant d'enfoncer des clous de girofle dans le fruit, dans tous les espaces libres entre les rubans. Passez ensuite l'extrémité d'un trombone dans le nœud d'une des boucles et refermez-le pour le transformer en petit crochet. Attachez-y un bout de ficelle qui servira à suspendre la boule d'ambre à l'endroit voulu. Dans la mesure où les boules d'ambre sont généralement appréciées de tous, suggérez à votre enfant de répéter l'expérience afin de pouvoir en offrir aux êtres qui lui sont chers.

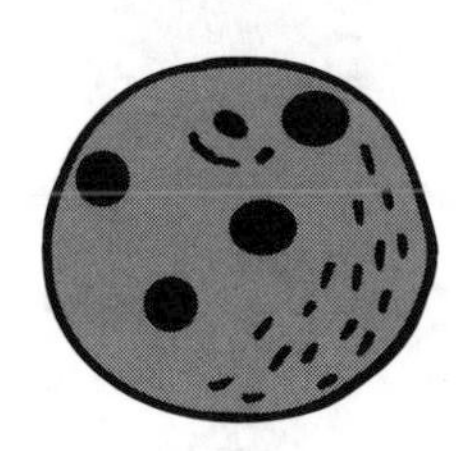

10 décembre

Un sapin à moi tout seul

Votre enfant adorera posséder un arbre de Noël dans sa chambre! Pour en fabriquer un tout à fait original, il vous suffit de planter une branche morte (comportant plusieurs branchettes) dans un seau rempli de cailloux ou de pierres. Donnez ensuite à votre enfant plusieurs rubans en velours rouge afin qu'il puisse orner son «sapin» de jolies boucles. Il pourrait également décorer son arbre avec des ornements en pâte à sel (voir 8 décembre), de la guirlande (voir 12 décembre) et des cocottes (voir 14 décembre) qu'il aura fabriqués lui-même. Quant à vous, n'oubliez pas, le soir du 24 décembre, de déposer un petit cadeau sous ce sapin improvisé!

11 décembre

J'ai les boules!

Pour décorer votre arbre de Noël à peu de frais, tout en y ajoutant la touche créative de votre enfant, pourquoi ne pas fabriquer une douzaine de fausses boules en carton? Prenez un grand carton (bristol) blanc et, à l'aide d'un verre et d'un crayon à mine, tracez-y une douzaine de ronds. À l'instar des vraies boules de Noël, surmontez chaque rond d'une sorte de goulot qui servira éventuellement à accrocher la fausse boule. Découpez toutes les boules ainsi constituées et, au moyen d'un poinçon, percez un trou au sommet de chacun des goulots. Enfin, proposez à votre enfant de décorer les deux côtés de ses fausses boules à l'aide de marqueurs ou de gouache de différentes couleurs. Enfilez ensuite de la ficelle ronde, argentée ou dorée, dans chacun des goulots. Nouez les extrémités de la ficelle et accrochez les boules à votre arbre de Noël. S'il vous reste du carton, vous pourriez, en suivant le même procédé, confectionner des étoiles ou des sapins. Vous obtiendrez ainsi, et à peu de frais, un superbe assortiment d'ornements.

12 décembre

Guirlande multicolore

Pour que votre enfant puisse réaliser une guirlande multicolore et scintillante, il aura besoin de ruban adhésif double face et de trois rouleaux de ruban à cadeau de trois centimètres de large dans des teintes métallisées: vert, rouge et argent. Tout d'abord, il faudra découper, à partir de chacun de ces trois rouleaux de ruban, de nombreuses bandelettes d'environ 15 cm. Ensuite, le procédé est extrêmement simple. Il suffit, avec le ruban adhésif double face, d'attacher l'une à l'autre les extrémités d'une première bandelette. Puis, on y enfile une deuxième bandelette dont on colle, encore une fois, les extrémités, à l'instar des maillons d'une chaîne. Et l'on poursuit ainsi, en alternant chaque fois les couleurs, jusqu'à l'obtention d'une guirlande suffisamment longue pour décorer le haut d'une porte, l'encadrement d'une fenêtre ou l'arbre de Noël.

13 décembre

Cocotte-minute

Les pommes de pin (cônes, cocottes) peuvent se transformer en de superbes ornements pour le sapin de Noël. Donnez-en quelques-unes à votre enfant et suggérez-lui de les peindre, de préférence avec de la peinture dorée ou argentée. Une fois que la peinture a séché, déroulez des trombones et accrochez-les au sommet de chacune des cocottes de manière à former un anneau dans lequel vous passerez un fil doré ou argenté qui servira à les suspendre aux branches de l'arbre de Noël. Vous verrez, ce sera du plus bel effet!

14 décembre

Un bas de Noël

Votre enfant aura beaucoup de plaisir à fabriquer lui-même son bas de Noël... sans compter le bonheur qui sera le sien lorsqu'il découvrira, le 25 au matin, que le père Noël a glissé une petite surprise à l'intérieur! Pour réaliser le précieux objet, il vous faudra disposer de 2 carrés de feutrine d'au moins 25 cm sur 25 cm dans lesquels vous découperez 2 formes de bas d'égales dimensions. Demandez ensuite à votre enfant de coller les deux formes l'une sur l'autre. Pour ce faire, il faut déposer de la colle pour tissu sur le pourtour de l'une des formes, à l'exception bien sûr du haut, qui doit être laissé ouvert. Puis, on y dépose délicatement l'autre forme de sorte que les deux côtés du bas s'épousent parfaitement. On place alors un grand livre épais sur le bas afin d'exercer une pression constante qui facilitera le processus d'adhésion. Durant ce temps, découpez un sapin et une bordure en forme de zigzag dans une feutrine verte. Enlevez le livre et décorez le bas en y collant la bandelette et le sapin. Dans les retailles de feutrine rouge, taillez quelques petits ronds et collez-les sur le sapin pour représenter des boules de Noël. Une fois que la colle a séché, il ne reste plus qu'à déposer ce bas superbe sur le manteau de la cheminée ou au-dessous du sapin!

15 décembre

Un village miniature

À l'aide d'une dizaine de petits cartons de lait ou de crème vides, de gouache, de papier cartonné, de retailles de feutrine et de colle blanche, votre enfant pourra donner naissance à un joli village miniature. Les maisonnettes devront d'abord être peintes à la gouache dans une diversité de teintes. Une fois la peinture sèche, on ajoute un toit composé avec du papier cartonné, ainsi que des détails comme les portes et les fenêtres, préalablement découpés dans du papier ou des morceaux de feutrine. On peut aussi prévoir une cheminée: trois bâtonnets à café, collés les uns sur les autres, que l'on fixe sur le côté d'une maisonnette à l'aide de quelques gouttes de colle. Un carton de lait de 500 ml (1/2 tasse), une fois décoré, pourra se transformer en belle église. Deux cartons de lait de 250 ml (1 tasse), collés ensemble et surmontés d'un toit commun, se transformeront en gare. Une fois le village terminé, déposez chacune de ses composantes sur une grande couche d'ouate disposée sous le sapin. Votre enfant pourra y ajouter, au gré de sa fantaisie, divers jouets miniatures tels que des voitures, un train, des animaux ou des figurines. Laissez-le ensuite s'amuser avec son village qu'il ne se lassera pas de contempler.

16 décembre

Une crèche

Votre enfant prendra assurément plaisir à confectionner ce modèle de crèche du reste fort simple à réaliser. Tout d'abord, il vous faut dénicher une boîte à chaussures vide. Demandez à votre enfant d'en peindre tous les côtés, intérieurs et extérieurs, avec de la gouache brune. Pendant que la peinture sèche, découpez un morceau de feutrine bleue de même dimension que le fond de la boîte. Mettez-le de côté. Découpez une étoile dans de la feutrine jaune et découpez des silhouettes d'âne et de bœuf dans de la feutrine noire. Invitez votre enfant à coller tous ces éléments sur le morceau de feutrine bleue et à coller le tout au fond de la boîte: ce sera le fond du décor. À l'aide de cinq rouleaux de papier hygiénique vides, de marqueurs, de feutrine et de retailles de tissu, créez, avec votre enfant, les personnages de Marie et de Joseph, ainsi que les trois Rois mages. Utilisez un petit bouchon de liège et décorez-le avec des marqueurs pour représenter l'enfant Jésus. Découpez de minces bandelettes dans le reste de la feutrine jaune pour fabriquer de la paille et couchez-y l'enfant entouré des autres personnages. Placez la crèche ainsi constituée sur le manteau de la cheminée ou sous l'arbre de Noël!

17 décembre

Papier d'emballage

Il existe bien sûr une diversité de modèles de papier d'emballage disponibles dans la plupart des boutiques de cadeaux. Toutefois, votre enfant appréciera de créer ses propres compositions pour personnaliser davantage les présents offerts aux divers membres de la famille. Une pomme de terre et un peu de gouache, voilà tout ce qu'il faut pour décorer une petite feuille de papier (pour les miniprésents) ou du papier kraft en quantité (pour les cadeaux de grand format). Comment procéder? C'est très simple.

- En premier lieu, lavez une grosse pomme de terre, coupez-la en deux et essuyez-la bien;
- Ensuite, dessinez sur l'une des moitiés un sapin, tandis que sur l'autre vous dessinerez une étoile. À l'aide d'un couteau fin, creusez la chair tout autour de chacun des dessins de manière à ce que ceux-ci apparaissent en relief (comme dans le cas d'un tampon);
- Déposez dans une assiette de carton ou d'aluminium une petite quantité de gouache verte diluée à l'eau. Dans une autre assiette, versez cette fois de la gouache rouge;
- Demandez à votre enfant de tremper le motif de sapin figurant sur sa demi-pomme de terre dans l'assiette de peinture verte, puis montrez-lui comment l'imprimer, en exerçant une légère pression, sur la feuille de papier d'emballage. Il pourra, au choix, décorer ses futurs emballages de sapins seulement, d'étoiles seulement, ou d'une combinaison des deux motifs.

18 décembre

Banderole

Proposez à votre enfant de réaliser une magnifique banderole qui permettra de souhaiter un «Joyeux Noël» à toute la compagnie, qu'elle soit réunie au salon, dans la salle à manger ou au sous-sol! Pour ce faire, il suffit de vous procurer quelques bristols aux couleurs de Noël (le vert et le rouge sont chaudement recommandés). À l'aide d'un crayon à mine, tracez le contour des lettres dont la taille devrait se situer aux environs de 25 cm de haut sur 15 cm de large. Pour un plus bel effet, faites de larges contours et assurez-vous d'alterner la couleur des lettres, par exemple tracez le *J* sur le carton vert, le *O* sur le carton rouge, et ainsi de suite. Découpez toutes les lettres et, au moyen d'un poinçon, percez deux trous au sommet de chacune d'elles (solidifiez-les grâce à des rondelles de renforcement préencollées). Enfin, enfilez les lettres sur une cordelette de couleur — en laissant un espace entre «Joyeux» et «Noël» — et fixez chacune des extrémités à un mur! Le tour est joué!

19 décembre

Lait de poule

Le lait de poule ou *eggnog* est une délicieuse boisson que l'on offre traditionnellement aux invités à l'occasion du temps des fêtes. Bien sûr, il existe une variante pour adultes, à base de rhum, mais la recette proposée ici conviendra parfaitement aux petits comme aux grands. Proposez à votre enfant de mettre son petit tablier et de devenir votre assistant. Confiez-lui les tâches que vous jugerez appropriées. Voici la façon de procéder:

- Mettre dans un bol 60 ml (4 c. à soupe) de sucre, 2,5 ml (1/2 c. à thé) de sel et 4 œufs;
- À l'aide d'un batteur à œufs, battre les ingrédients jusqu'à l'obtention d'un mélange épais de couleur jaune;
- Incorporer 1 litre (4 tasses) de lait et 5 ml (1 c. à thé) de vanille;
- Bien mélanger au batteur;
- Prendre un entonnoir et verser le contenu dans une ou deux bouteilles munies d'un bouchon. Mettre au réfrigérateur. Verser dans des petits verres (ou des tasses) et saupoudrer d'un peu de muscade avant de servir.

20 décembre

À bas la pomme de terre!

Pour pratiquer ce jeu, vous aurez besoin de quelques accessoires présents dans la plupart des foyers: des bas en nylon et des pommes de terre. Coupez en deux une vieille paire de collants de manière à obtenir deux longs bas en nylon. Insérez, dans chacun de ces bas, une pomme de terre de grosseur moyenne. Convenez d'une ligne de départ et d'une ligne d'arrivée. Placez deux joueurs côte à côte derrière la ligne de départ. Chacun des concurrents devra attacher un bas à sa taille de manière à ce que l'extrémité où se trouve la pomme de terre pende juste un peu au-dessus du sol. Placez deux autres pommes de terre (plus petites) sur la ligne de départ, une devant chacun des joueurs. Au signal, les concurrents, les mains derrière le dos, devront faire avancer la petite pomme de terre jusqu'à la ligne d'arrivée et ce, simplement en balançant leurs hanches d'avant en arrière, de manière à transformer le bas lesté qu'ils portent à la taille en... maillet de jeu de croquet! Au fur et à mesure de leur progression, les spectateurs, s'il y a lieu, les encourageront de leurs cris et... de leurs rires. Une fois le gagnant déterminé, les joueurs recommencent une nouvelle course ou, s'il y a plusieurs participants, cèdent la place à deux autres joueurs. On peut alors former des équipes et cumuler les points. Vive les pommes de terre!

21 décembre

Scène d'hiver magique

C'est aujourd'hui le premier jour de l'hiver! En cette occasion spéciale, vous pourriez fabriquer, avec votre enfant, une scène hivernale tout à fait magique. Prenez un petit bocal de verre transparent muni d'un couvercle hermétique. À l'aide d'une colle forte (occupez-vous de cette tâche), fixez un petit jouet de plastique (par exemple une maisonnette, un bonhomme de neige ou une minifigurine) au fond du bocal. Une fois que l'objet est bien fixé, versez de l'eau dans le bocal (presque jusqu'à ras bord). Ajoutez ensuite une bonne quantité de poudre scintillante argentée, suffisamment pour représenter une sorte de tempête de neige. Vissez le couvercle, secouez vigoureusement et observez avec attention le blizzard auquel vous avez donné naissance.

22 décembre

Au musée

Pourquoi ne pas profiter du congé des fêtes pour initier votre enfant au monde de l'art et à l'univers des musées? Généralement, plusieurs institutions muséales organisent, à l'approche de Noël, des activités thématiques susceptibles de susciter l'intérêt des enfants et même des tout-petits. Ainsi, certains musées vont présenter des collections de jouets anciens; d'autres vont exposer des crèches allant des plus traditionnelles aux modèles les plus originaux; quelques-uns vont mettre en valeur des tableaux ou des sculptures représentant la Nativité, les Rois mages et d'autres figures religieuses. Par ailleurs, de plus en plus de musées comptent des espaces ou des ateliers spécifiquement destinés aux enfants: ils peuvent s'y adonner au dessin ou au modelage ou encore s'y costumer, le tout étant organisé de manière à compléter l'exposition en faisant appel à la créativité et au jeu. Bref, en vous rendant au musée en compagnie de votre enfant, vous lui permettrez d'enrichir ses connaissances tout en s'amusant... Ce faisant, il prendra conscience — si ce n'est déjà fait! — que ce lieu est loin d'être froid et ennuyant mais constitue plutôt un monde merveilleux à découvrir... et à redécouvrir!

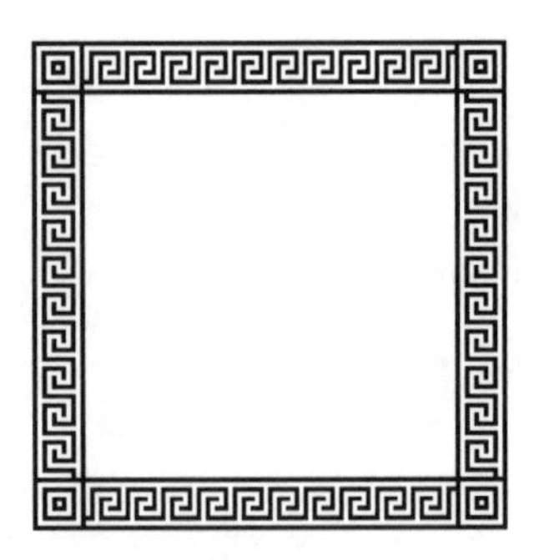

23 décembre

Un centre de table

Vous désirez orner votre table de cuisine d'un centre de table approprié aux festivités? Votre enfant pourrait exaucer votre souhait... il suffit de demander! Offrez-lui de donner une seconde vie à vos fruits artificiels (pomme, orange, raisin, banane...) en les peignant avec de la peinture métallisée dorée et argentée. Proposez-lui de faire subir le même sort à une grande assiette de carton ainsi qu'à quelques petites pommes de pin. Une fois que tout est bien sec, il ne reste plus qu'à déposer les fruits et les pommes de pin dans l'assiette. Si vous possédez des feuilles artificielles, vous pourriez également les peindre et vous en servir pour décorer votre centre de table.

Note: Selon l'âge de votre enfant, optez pour de la peinture métallisée en aérosol ou de la gouache contenant de la poudre métallique.

24 décembre

Papillotes

Parmi les invités que vous attendez en cette veille de Noël figurent une ribambelle d'enfants? Demandez alors au vôtre s'il désire vous donner un petit coup de main pour fabriquer de jolies papillotes dissimulant une surprise chocolatée pour toute cette jeunesse. Pour créer une papillote, rien de plus simple! Il suffit de découper un rectangle de 40 cm sur 20 cm dans du papier crépon rouge. Enroulez ensuite ce rectangle autour d'un rouleau de papier hygiénique vide. Nouez un ruban vert à l'une des extrémités et glissez une surprise dans le rouleau: un bonbon aux fruits ou un père Noël en chocolat, par exemple. Nouez l'autre extrémité avec du ruban. Faites de jolies boucles. Puis, découpez des petites pointes à chacune des extrémités du papier pour créer une finition en zigzag. Enfin, découpez deux petites étoiles dans du papier crépon vert et collez-les au centre de votre papillote. Répétez l'opération pour offrir ce cadeau-surprise à chacun des enfants présents à votre réveillon de Noël!

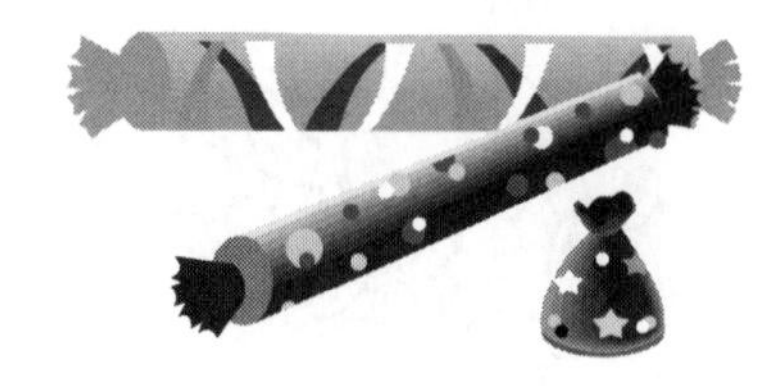

25 décembre

Marque-places

Le grand jour est enfin arrivé! La cuisine est emplie de l'odeur de la dinde rôtie et du délicieux fumet que dégagent les savoureuses tourtières. Ce sera bientôt l'heure de s'asseoir à table et de festoyer? Une perspective d'autant plus agréable que les convives n'auront pas à chercher la place qui leur est réservée! Pourquoi? Parce que votre enfant leur aura fabriqué des marque-places tout à fait originaux. Pour qu'il puisse les réaliser, il convient de découper des rectangles de 10 cm sur 14 cm dans du carton blanc, un pour chaque convive. Puis, il suffit de plier le carton en deux. Sur le côté gauche du marque-place ainsi constitué, demandez à votre enfant d'écrire, au crayon rouge, le nom de chacun des convives. Sur le côté droit, il pourra imprimer un motif de son choix, un petit sapin par exemple, à l'aide d'un tampon en pomme de terre (voir le 20 décembre) et de gouache verte. Il ne reste plus alors qu'à faire sécher les marque-places avant de les déposer au centre de chacune des assiettes destinées aux multiples invités!

JOYEUX NOËL!

26 décembre

Basket-ball

Tous les membres de la famille ayant déballé leurs cadeaux de Noël, vous vous retrouvez, aujourd'hui, avec une montagne de papier d'emballage à porter dans le bac à récupération. Faites d'une pierre deux coups en jouant une partie de basket un peu spéciale! Placez tous les participants à bonne distance du bac et amassez près du groupe tous les morceaux de papier d'emballage dont vous désirez vous débarrasser. À tour de rôle, les joueurs devront prendre du papier, le rouler en boule et tenter de viser juste en envoyant le projectile directement au fond du bac. On compte alors un point pour chaque panier réussi! Une bonne façon de s'amuser et… de récupérer!

27 décembre

C'est d'un chic!

Les enfants raffolent des déguisements, c'est bien connu! Qu'en est-il des adultes? Voilà un jeu qui permettra de savoir puisqu'il s'adresse à des participants de tous âges et qu'il se prête particulièrement bien aux réunions familiales du temps des fêtes. Dans un premier temps, rassemblez dans un grand sac-poubelle des vieux vêtements (robes, pantalons, pyjama, etc.), des casquettes, des chapeaux et des tuques, des mitaines et des foulards, toutes sortes d'accessoires légers et disparates (colliers, ceinturons, bretelles, cravates, etc.). Évitez de surcharger le sac — pour ne pas qu'il se déchire — et nouez-en l'extrémité de manière très lâche. Demandez ensuite aux participants de former un cercle et lancez la musique. Les joueurs se passent alors le sac de main en main, dans le sens des aiguilles d'une montre. Tout à coup, baissez complètement le volume de l'appareil. À ce signal, le joueur possesseur du sac le dépose par terre, en dénoue l'extrémité et, sans regarder, y prend un objet qu'il doit enfiler. La musique reprend et on continue de cette manière jusqu'à ce que le sac soit complètement vidé de son contenu. Arrêtez alors la musique et laissez les participants s'admirer et... s'esclaffer! Enfin, priez-les de se réunir pour une photo de groupe des plus mémorables!

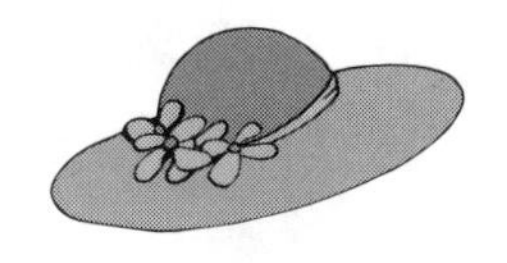

28 décembre

Les modèles récalcitrants

Pour pratiquer cette activité, il faut pouvoir compter sur au moins six participants, plus si c'est possible. Pour votre part, vous serez le meneur de jeu. Demandez à la moitié des joueurs de se placer les uns à côté des autres en laissant entre eux la distance de leurs bras tendus. Ils joueront le rôle des modèles. Invitez ensuite les autres joueurs — les sculpteurs — à se placer devant le modèle de leur choix. Chaque sculpteur doit alors faire prendre une pose à son modèle en levant ou en abaissant ses bras, en le faisant asseoir ou en le priant de se mettre à genoux, en tournant sa tête d'un côté, en lui demandant de baisser les yeux, etc. À votre signal, les sculpteurs devront tourner le dos aux modèles qui en profiteront pour modifier leur pose initiale (regard dans une autre direction, poing refermé, doigts écartés, autre profil, etc.). Après quelques secondes, invitez les sculpteurs à se retourner pour examiner leur modèle. Accordez un point à tous les sculpteurs qui auront mis à jour le subterfuge de leur modèle et à tous les modèles qui auront réussi à déjouer l'artiste pour lequel ils ont posé. Inversez ensuite les rôles et jouez autant de fois que vous le désirez!

29 décembre

Le rouleau voyageur

Cette activité, qui s'inspire de la chaise musicale, n'exige toutefois qu'un simple objet de forme allongée, assez léger et ne présentant aucune aspérité, par exemple un rouleau de papier d'aluminium vide (une cuillère de bois ou une bouteille de plastique vide fera également l'affaire). Demandez aux participants de former un cercle, en mettant leurs mains derrière leur dos. Au son de la musique, les joueurs doivent alors se passer l'objet en le coinçant entre leurs jambes, à hauteur des genoux et ce, sans jamais y toucher de leurs mains. Dès que la musique cesse, le joueur détenteur de l'objet est éliminé du jeu, qui reprend de plus belle jusqu'à ce qu'il ne reste plus que deux participants en lice. Celui des deux qui évitera de rester coincé avec l'objet gagne la partie.

30 décembre

Mission… possible

Voici une activité idéale pour distraire les enfants comme les adultes réunis à l'occasion du temps des fêtes. Inscrivez sur une feuille de papier une liste de 10 objets susceptibles de se retrouver en deux exemplaires dans votre environnement immédiat. Pourraient figurer, sur cette liste, des articles comme une chaussure noire, une cuillère de bois, un livre de poche, une brosse à cheveux, etc. Une fois que votre liste est constituée, faites-en une copie. Demandez ensuite aux participants — dont votre enfant — de se diviser en deux équipes. Convenez d'un point de ralliement, par exemple le salon, et déposez-y un bac. Au signal, les joueurs des deux équipes devront tenter de mettre la main sur tous les objets se trouvant sur la liste. Une fois en possession des 10 objets, ils devront les déposer dans le bac se trouvant à vos pieds. La première équipe qui y parvient gagne la partie!

31 décembre

Le cadeau gigogne

Parents et amis viendront vous visiter en cette veille du jour de l'An? Voici un jeu qui devrait plaire aux petits comme aux grands. Avant même l'arrivée des invités, achetez, à peu de frais, deux petits prix de présence. Privilégiez de très petits objets incassables et choisissez-en un qui convienne aux adultes (par exemple, un savon parfumé) et un autre destiné aux enfants (un sac de bonbons, des bulles pour le bain, etc.). De retour à la maison, déposez chacun des prix dans deux petites boîtes et emballez-les. Puis, demandez à votre enfant de vous donner un coup de main. Pourquoi? Parce qu'il vous faudra placer vos deux petites boîtes dans d'autres de format moyen, que vous devrez également emballer et qui devront elles-mêmes être incluses dans des boîtes plus grandes, et ainsi de suite. Ne ménagez ni le papier d'emballage, ni le ruban adhésif, ni les rubans, ni les ficelles. Le soir venu, lorsque les invités seront réunis, demandez aux enfants et aux adultes de former deux cercles distincts. Au son d'une musique de circonstance, invitez les participants à se passer de main à main le cadeau gigogne. Dès que vous arrêtez la musique, l'enfant comme l'adulte qui tient le cadeau dans ses mains commence à déchirer le papier qui le recouvre. Toutefois, dès que la musique reprend, l'entreprise de déballage doit cesser immédiatement, le cadeau recommence à circuler de main à main, et ainsi de suite, jusqu'à ce que le couvercle de la dernière des boîtes soit levé et que le cadeau soit dévoilé dans chacun des cercles.

Printed in Canada